21 南宋
西元1127～1276年

［注音本］

全新 吳姐姐講歷史故事

吳涵碧◎著

目錄

【第464篇】陳東一片忠肝。

李綱的宰相只當了七十七天，就被奸臣黃潛善、汪伯彥設計摘下，朝野之中有正義感的，都表示不平。在朝的有鄧肅，在野的有歐陽澈……歐陽澈曾上書三巨軸，巨軸重得要大力士才能扛得動，當然，上書石沉大海，毫無回音。不過，這件事並沒有動搖歐陽澈的壯志。

當金兵把徽欽二帝擄掠而去之時，歐陽澈氣憤極了。他常常對人說：『我能夠口伐金人，強於百萬雄師，我願意殺身以安社稷。如果，皇上不信，請將我的子女扣押在朝廷當人質，我一個人前往金營，把親王給帶回來。』

每次歐陽澈說得慷慨激昂，口沫橫飛，鄉人總是指指點點嘲笑他：『你們看，你們看，那個狂小子又在胡言亂語了。』

歐陽澈不理會鄉親的冷嘲熱諷，他竟然安步當車，一步一個脚印走到了南京，跪在宮門之前上書，要求撤職查辦當權大臣。

黃潛善等人看到歐陽澈的舉動，不由暗吃一驚道：『不好了，不好了，一個陳東已經夠麻煩了，現在又來一個陳東。』

大家還記得陳東嗎？那個不怕死的太學生，他曾經率領太學生伏闕上書，要求殺掉蔡京等六賊，聲震全國。後來，李綱被宋欽宗撤去相職，做

為討好金人的犧牲品。他又領著一批太學生在宮門之前為李綱喊冤，聲震屋瓦，把一面鼓都給敲碎了。嚇得浪子宰相李邦彥落荒而逃，匆忙之中，連鞋子都遺失了。宋欽宗派出調解的宦官被憤怒的太學生剁成肉泥。最後，欽宗投降，李綱復職。（請參考〈太學生打破鼓〉篇）

宋高宗即位之後，為了維繫人心，上任第五天，就找了李綱為相，第十天即召陳東，結果未曾當面召見。如今，高宗罷李綱相職，可以預料得到的，必然又引起陳東為首太學生的激烈反應，而歐陽澈的所作所為，顯然是模仿陳東當年的英勇表現。

黃潛善心知肚明，在陳東、歐陽澈等人的心目之中，他是一個必去之而後快的大奸臣，與蔡京、李邦彥差不多。假如他們再度伏闕上書，那就不好看了。因此，黃潛善一再面稟高宗：『此二人非殺不可。』

高宗尚在猶疑不決，黃潛善又在旁邊不斷搧火：『莫非陛下要重睹鼓衆伏闕之事。』

陳東當時敲鑼打鼓，率衆示威的一幕，高宗記憶深刻，他可不希望舊戲重演。因此，決定聽黃潛善的建議——將陳東、歐陽澈問斬。

官府派了捕吏來押解陳東，陳東早知道這一天總會來的。他沒有一絲不安與恐懼，和婉地對捕吏說：『我想吃了飯再走。』

『當然，當然。』捕吏恭敬地說。於是，陳東慢條斯理開始用餐。他端著碗，細嚼慢嚥，把盤子裏的菜餚，碗中的清湯，吃得乾乾淨淨，顯然胃口甚佳，不像是即將問斬的犯人。

吃完了飯，陳東端坐在書桌之前，開始寫遺言。他一筆蠅頭小楷，端端正正，一筆一劃，清清楚楚，可見心中甚爲平靜。

遺書寫罷，交給僕人以後，陳東對捕吏說，他要進去如廁。

捕吏面有難色，訕訕地說不出話。心忖，萬一陳東乘機溜走，或是上吊自殺，那他回去如何交代。

陳東是何等聰明絕頂之人，他一眼就看穿捕吏的心思，昂首一笑道：『我陳東也，如果怕死，就不敢說話，既然有勇氣開口，我還會怕死嗎？』

這一表白，倒讓捕吏不好意思，他一抱拳道：『陳公風骨，我也聽說，怎敢相逼？』

捕吏等了一會兒，陳東穿衣戴帽，瀟瀟灑灑走了出來，從從容容赴獄。

高宗建炎元年八月壬午，太學生陳東，撫州進士歐陽澈同時問斬於東市。陳東不過四十二歲，歐陽澈更小，只有三十七歲。

陳東與歐陽澈的死可說是驚天地而泣鬼神，尤其陳東即將就戮，毫無慘戚戰慄之意。遺書之中墨行整整齊齊，交代家事，井井有條，人人都舉起大拇指，直誇：『眞東漢人物也。』這是誇獎陳東有東漢士大夫講氣節不畏死的風骨。

爲了表揚陳東，在他的家鄉丹陽，當地百姓建了一所陳丹陽先生祠，祠旁用鐵鑄了黃潛善、汪伯彥的像，此二鐵像長跪階前，表示對陳東的懺悔。與岳飛墓旁秦檜夫婦長跪一般。（岳飛的故事我們以後會詳詳細細說明）

到了明朝嘉靖年間，鄭晉入祠瞻禮，題一聯於壁：

『一片忠肝，千古綱常可託，
兩人屈膝，平生富貴何爲？』

據說，題完了字，兩個鐵像慚愧地應筆而倒，這當然是荒誕的傳說。不過，我們中國人總認爲，人死留名，虎死留皮，身後名是相當重要的，歷史會還忠臣一個公道。

建炎四年，宋高宗感悟，追贈陳東、歐陽澈爲承事郎，這不過是高宗作戲，爭取人心，假惺惺罷了。我們讀歷史，不能不了解這一點。

閱讀心得

【第465篇】

宗澤治理開封。

在〈靖康之難〉之後，宋高宗繼任大宋皇帝，有兩位支撐大局的志士。一個是李綱，一個就是我們在前面提到的宗澤。

宋高宗在南京（這南京是今河南商丘，不是今南京市）即位，宗澤入京，與李綱一塊痛陳復興大計，激動得涕泗橫流。李綱與宗澤都有報國宏願，兩人相見恨晚。宋高宗想要留下宗澤，但是被黃潛善等人所排擠，出任龍圖閣學士，知襄陽府（湖北省襄陽縣）。

當時，黃潛善等人有避敵遷都，提倡和議之說。宗澤立即上書：『天下者，太祖、太宗之天下，陛下當兢兢業業，傳之萬世。』並且自告奮勇，願意帶兵收復失地，『捐軀報國恩』。這一年，宗澤已有六十九高齡。

此刻正是李綱獨任宰相之時，適逢開封尹出缺。高宗問李綱，誰可擔負重任，李綱說：『欲綏復舊都，非宗澤不可。』

於是，年近七十的宗澤來到了殘破的開封。此刻，還有一部分金兵留在黃河邊上，與開封距離很近。金鼓之聲，日夜相聞。東京開封府曾經兩度遭金人擄掠，城內房屋大多被毀，軍營也十分殘破。兵民雜居，盜賊橫行，即使在光天化日大白天也會發生搶案，家家關門閉戶，市面蕭條，遠非當年繁華似錦的東京了。

非僅如此，開封府的物價騰貴，比以前高出十倍不止。宗澤大傷腦筋，認爲非先解決經濟問題不可。

宗澤把家中的廚子喚來，對廚子說：『你去做一籠市面上出售的籠餅，看看需要多少成本。』又把釀酒的找來，對他說：『你去買一觚市上出售的酒，回來照樣釀造，我要知道酒的成本到底要多少，貴到什麼地步？』不一會兒，餅蒸好了，酒也釀出來了。算一算價錢，一枚餅不過六個錢，一觚的酒也只要七十個錢。可是，市面上一模一樣的籠餅，竟賣到二十錢一枚，一觚酒喊價到了兩百錢，簡直就是暴利。

宗澤大爲不悅，立刻把市面上製餅的師傅找來，詢問道：『還記得當年我爲舉子來京師，一晃已三十年了。當年籠餅一枚只要七錢，今天怎麼要賣到二十錢，太貴了吧，老百姓怎麼吃得起？』

師傅一臉無奈道：『這也是沒辦法的事，都城屢次經歷大亂，米麥都貴得不像話。成本既然漲了，餅當然賣得貴了，我總不能虧本賤賣啊！』說罷，兩手一攤。

師傅萬萬沒有想到，這位新來的府尹不好欺負。宗澤一言不發，把廚房中蒸好的餅給搬了出來，指著熱氣騰騰的籠餅說：『我算過了，一枚餅只要六錢。假如賣到八錢，還可以賺兩錢，你居然賣到二十錢。我現在規定，一枚餅最多只能賣八錢，絕對不許隨隨便便哄抬物價。今天，對不起了，我要借你的頭貫徹命令。』說著，宗澤派人把做餅師傅的腦袋給割了下來。一會兒，整個京師傅遍這個驚人的消息。到了第二天，果然每個賣餅的，都把價錢壓了下來，一律八個錢一枚餅。消費大衆大爲開懷，紛紛上街購買。

第二天，宗澤又把釀酒的酒吏找來，在宋朝，酒是屬於政府專賣的。酒吏看到籠餅師傅的腦袋，掛在牆上迎風招展，訥訥地說：『都城自遭匪寇以來，宗室權貴私自釀酒甚多，生意不好做，價錢不得不提高。』

宗澤原是個明理之人，不會刁難人家，他明快地對酒吏說：『現在，我爲你禁止一切私酒。你呢，每一斤酒少賺一百錢，你的頭顱暫且寄放在你的頸子上。』

第二天，酒價大跌，百姓歡騰。在宗澤的鐵腕政策之下，商人不敢再囤積居奇，物價漸趨平穩，百姓也可以安居樂業了。

解決了汴京的物價問題，宗澤要拿盜賊開刀了。他眼看京師之中盜賊縱橫，人情洶洶，實在鬧得不像話了。先捉了幾個小偷，然後下令：『凡是爲盜者，不論輕重，一律軍法處分。』如此一來，盜賊也不敢再蠢動了。

有一天，金國忽然派了一個使節出使僞楚。張邦昌的楚國早已撤銷，金人並非不知，竟然派出使節，分明是打探消息的奸細。宗澤把使節扣下，然後上了一個奏章給高宗：『此名僞使，實在是派來窺伺的間諜，臣請求斬金使，以杜禍患。』

不料，宋高宗接到奏章後，立刻傳旨，要宗澤把金使安排住在華貴的賓館之中，殷勤招待。宗澤大不以爲然，又奏上一本説，優容敵人間諜，徒然表示我國國弱：『臣愚昧，不敢奉詔。』宗澤還是堅持他原來的意思，想要斬殺金使，『以破其奸』。

宋高宗大爲著急，親筆寫了一封信給宗澤，嚴令宗澤切切不可擅作主張，一定要把金使平平安安送出城。皇帝有令，宗澤不敢不聽，只好把金使送走。

因爲這件事，朝廷之中汪伯彥、黃潛善一黨的人都在嘲笑宗澤癲狂。尚書右丞張懿忍不住仗義執言：『朝中像宗澤這般癲狂的人再多幾個，天下就安定了。』

此外，御史中丞許景衡也幫宗澤說話：『臣聽說議者多在指責宗澤過失，臣自渡淮河，聞說宗澤誅鋤強暴，撫循善良，又修守備之禦，歷歷可觀。臣不知道，假如計較宗澤小疵，另外選一個留守，不知還有誰可以比得上宗澤？』

宋高宗接受了許景衡的建議，細細想來，也沒有誰比宗澤更適合擔任開封府尹，宗澤的職位總算暫時保存。

閱讀心得

【第466篇】

王彥帶領八字軍。

宗澤擔任開封府尹以後，他懲治奸商，平穩物價，逮捕巨盜，斬首示眾，開封府逐漸恢復了平靜。某天，金國派了一個使臣到開封，分明有間諜嫌疑，宗澤主張殺掉金使，以絕後患。可是宋高宗膽小怕事，堅持宗澤要把金使平安的送出京師。

金使雖然離去，宗澤已自金使口中套出，金兵在真定、懷、衛之間大規模地整修戰具，準備南侵。

於是，宗澤悄悄地渡過黃河，與河東、河北一帶忠義民兵取得連絡，各地的紅巾軍與太行山麓的八字軍都願意投入宗澤麾下。

紅巾軍的名稱是因爲這批忠義軍多以紅巾包頭，做爲識別，如傅選、焦文通、趙邦傑等，他們沒有宋朝朝廷的官號，但是使用宋高宗建炎年號，表示心向宋朝。例如，在大名府的忠義民兵王友部，他所領軍隊的旗幟就用『宋忠義將河北王九郎』九個大字。至於太行山的八字軍，則由王彥所帶領。

在這兒，我們說一段王彥的故事：

王彥，字子才，上黨人，他性情豪邁放縱，不喜受約束，自小鑽研兵書韜略。王彥的父親，認爲自己的兒子是個軍事上的小天才，把王彥帶到

了京師，隸屬於弓馬子弟所。

宋徽宗有次親自挑選，凡是弓馬子弟所的子弟都上場演練武藝。王彥身手矯健，使槍弄棒，樣樣精通，被任命爲清河尉，曾經追隨涇原經略使种師道兩次出兵攻打西夏，頗有戰功。

金人攻打汴京，王彥報國心切，離開家鄉前往京師，自己請求上戰場討伐金人。當時，張所擔任河北招撫使（請參考〈張所招撫河北〉篇），張所看中王彥是個人才，提拔他爲統制，讓他帶領張翼、岳飛等十一大將，率七千人渡過黃河，與金人交戰。

在新鄉一戰，殺死金兵無數，同時，佔領了新鄉（在河北省），以此作爲據點，向河北各州郡發佈文告，號召軍民起事，驅逐胡虜。一時之間，各州郡紛紛響應，浩大的聲勢把金人嚇怕了。

金人以為宋朝大軍開拔而來，動員了數萬人馬，一圈又一匝把王彥軍隊團團圍住。王彥寡不敵眾，突圍而出，諸將散歸。王彥獨自守住共城西山，準備重新號召兩河英雄豪傑，再度起事。

由於王彥在這場戰爭之中表現得太傑出了，金人重金懸賞王彥的腦袋。

王彥不能不小心，白天還好，到了晚上常常不斷遷徙睡覺的營帳。久而久之，王彥的部下都曉得主將一夜數遷，睡不安寧。他們都覺得於心不忍，又為了表示一己的忠心，絕不會做出賣主求榮的事。於是，有一天，大家約好，相率在臉上刺了八個大字『赤心報國，誓殺金賊』。

第二天早上，王彥起身，發現一個個臉上都刺了字，而且血痕未乾。王彥又高興又難過，感動得不知如何開口。從此以後，更加撫愛士卒，與士兵同甘共苦。由於王彥部下臉上都刺有八個字，所以稱之爲八字軍，願意歸宗澤節制。

也在這時，岳飛離開了王彥，重新直接歸宗澤指揮。遠在靖康元年，宗澤在磁州，康王（就是後來的高宗）奉詔任大元帥，宗澤爲副元帥。宗澤在曹州之役中，就發現這個年輕的少年勇士，披散著長髮，揮舞著四刄鐵簡，直犯敵陣，銳不可當。這段經過，我們留在講岳飛故事時再詳細述說。

這一會兒，宗澤重見岳飛，高興得猛拍岳飛的肩膀道：『大將之才，大將之才。』

金兵在河北遠遠望見宗澤士氣如虹，前次派出的間諜，回來也報告，宗澤可不是好欺負的。爲了擔心宗澤眞的打過來，決定先發制人，派了數千精兵渡河攻擊汜水。

宗澤接到情報，派岳飛前去抵抗，臨行之前，宗澤交代：『鵬舉，你是我寄予厚望的人，所以我把這個艱巨的任務交給你，你要把渡河的金兵殺完，才不負我對你的信任。』

岳飛一抱拳道：『元帥放心，岳飛此去必然上報國家，下報相公。』說完，大踏步而去。

果然，岳飛用兵如神，軍士們都以一當百，把進攻汜水的金兵打得落花流水，死傷殆盡。金兵的血流入黃河，一夜之間，使黃河成爲紅河。這一役，宋軍軍威重振，開封城安若磐石。也就是這一役，岳飛的大名爲衆人所知，宗澤大樂，將岳飛升爲統制。

開封的情勢穩定之後，宗澤更立志要恢復河北的失地。他不斷上疏給宋高宗，希望朝廷遷回開封，號召各路大軍，渡過黃河北征。他一再上疏道：『以前，景德（宋眞宗的年號）年間，契丹攻打澶淵，寇準力主眞宗親征，後來果然成功。臣不敢把自己比喻爲寇準，但不能不寄望陛下。』（寇準的故事請參考〈寇準正氣凜然〉篇）

每次宗澤上奏，總是被黃潛善、汪伯彥所制止，而且拿著宗澤的上疏哈哈大笑，譏嘲宗澤年紀大了，腦筋不清楚。宋高宗始終沒有意思要採納宗澤的意見，只用一些不著邊際的門面話，敷衍敷衍這個一心爲國的忠心老臣。

閱讀心得

【第467篇】宗爺爺壯志未酬。

在上一篇〈王彥帶領八字軍〉之中，我們說到，宗澤固守開封，並且任用王彥、岳飛等大將，使金人始終到達不了開封府城外。

宗澤在金人強大的壓力之下，能夠守得住開封，還有一個主要原因，那就是他除了能夠號召兩河地帶忠義民兵之外，更能夠控制所謂流寇的游雜部隊。

那個時候，有個綽號叫『沒角牛』的楊進，擁兵三十萬。王再興、李貴、王大郎也有數萬人馬，在京西、淮河、河南以北侵略奪取民間財物，成為治安上的大患。

尤其是河東巨寇王善，擁有七十萬大軍，一萬乘車輛。自從宋朝把兩河地帶割給金國之後，金人一下子沒法消化這片廣大的地區，於是河東成為王善的地盤。他不但佔據河東，更想奪下開封京師，自己也做個皇帝玩一玩。

王彥的八字軍和紅巾軍，本來就是對抗金人的游擊隊，自然容易為宗澤所吸收。王善這批流寇，大塊吃肉，大碗喝酒，殺人放火，打家劫舍。一個言語不合，立刻把槍往人家心窩裏捅去，豈是容易說服的？

但是，宗澤有宗澤的辦法，他一個人也不帶，單槍匹馬去見王善。見

到王善之後，開始痛哭流涕：『朝廷當初危難之時，如果有公一二輩，豈會有敵患。幸好，現在還不太遲，今日乃公立下大功的好機會，千萬不可以錯過了。』

王善萬萬沒有料到，宗澤竟會如此禮遇待之。他本來準備，不待宗澤打官腔，先挺著槍把宗澤給轟了回去。這一會兒，看到宗澤七十老翁，本該在家含飴弄孫，如今竟哭得老淚縱橫，心中大爲不忍。尤其，宗澤清廉正直，赤心保國，王善這批土匪，平常亦有所聞。

再說，王善等之所以落草爲寇，也是被北宋末年的貪官汙吏，逼上梁山，天良未泯。他們雖然幹的是土匪，卻也有他們的民族意識，絕不與金人往來。

於是，宗澤哭，王善也放聲大哭，兩人哭得窸窸窣窣，泣不成聲。跪在地上說『我那敢不盡力』，立刻全數歸降於宗澤。

連王善這個頂尖兒的山大王都繳了械，其他小股土匪還不是一個個乖乖望風歸順。

宗澤眼看自己精心佈置的陣容，有了對抗金人的能力，十分欣慰。趕緊上疏，把如何招撫王善、楊進的過程細說一遍，並願高宗早日返回開封，中興大業，必可完成。

那知，這份奏章到了朝廷，竟被黃潛善、汪伯彥誣賴爲『包庇盜匪』。氣得宗澤臉色發白，鬍子不斷顫抖，不能說話。

更叫宗澤嚥不下氣的是，宋高宗非但不準備回開封，聽說金人南犯，也不管是不是被岳飛打得落花流水，嚇得連南京都不敢留下去。在建炎元年十一月駕幸揚州，不但宮室妃嬪全數南下，連祖宗靈牌也都搬到揚州。

當高宗逃向揚州的消息傳到了開封，唉，那些響應宗澤、王彥的義民，聞說天子南遷，傷心失望到達了極點，紛紛散去。

王彥愈想愈不能服氣，他快馬加鞭、心焦如焚趕到了揚州。向黃潛善、汪伯彥說明開封的情形，宗澤的建樹，以及兩河人民個個伸長了脖子，期待皇帝回歸開封，準備與金人大幹一場的決心。

黃潛善、汪伯彥愛理不理，有一句沒一句的應著。王彥火了，聲音不自覺一再提高，言辭也大爲憤慨激烈。黃、汪二人即以此爲名，請旨不許王彥晉見高宗，當然，見了高宗也不能扭轉情勢。

另一方面，癡心的宗澤仍不死心，一封又一封上書高宗，大意是說：『京師乃是天下腹心，不可放棄。』又說：『願陛下勿使奸臣阻擾，以誤社稷大計。』當然這些上奏都石沉大海。宋高宗對黃潛善、汪伯彥滿意之至，對人說：『潛善做左相，伯彥做右相，陛何患國事不濟？』

國家敗壞到這步田地，高宗還在三月煙花的揚州享樂。憂國憂民的宗澤連氣帶悶，背上生了瘡，老人家禁不起折騰，這一病就病得不能起身了。

宗澤病了，許多將領都前來探視問候，宗澤看到將領，猛一下自床上坐起，正色地說：『我是因爲二帝蒙塵，積憤而病。你們如果能殲滅敵人，我死而無恨！』

衆人都感動得一再起誓：『我等一定盡力。』

探病的客人走了，宗澤虛軟地癱在床上，長長吁了一口氣道：『出師未捷身先死，長使英雄淚滿襟。』

第二天，風大雨急，宗澤病情轉惡，他在死前連呼三聲：『過河，過河，過河。』溘然長逝，沒有一句交代家事的遺言。

宗澤死了，有識者莫不哀慟，尤其宗澤慷慨好義，許多窮苦的親朋都賴以爲生。而他自己生活相當儉樸，他常說：『君父側身嘗膽，尚在敵人手中，我那兒忍心獨自享用美食？』

宗澤守在京師，金兵來犯，屢次被宗澤擊退。宗澤人格操守亦爲金人所尊敬，稱之爲宗爺爺。

宗爺爺在呼喚『過河』之中，壯志未酬死不瞑目。

閱讀心得

【第468篇】

岳飛的幼年故事。

岳飛是中國歷史上鼎鼎大名的民族英雄，他與關羽一般，都是中華民族忠義氣節的象徵。關雲長的故事，大半出自《三國演義》，人們對於岳飛的了解，則是出於《說岳全傳》，以及根據說岳，改編而成的戲劇。

說岳的故事，大部分根據史實的記載，當然誇大、渲染、虛構的部分仍然很多，更突出了戲劇效果，使讀者更加入迷，譬如說，《說岳》一書之中，有關岳飛幼年時代，就是膾炙人口，流傳甚廣、家喻戶曉的故事。

根據《說岳》，岳飛的幼年，有一段不平凡的經歷：

在我國北方黃河地帶，時常會鬧水災，使得當地居民飽受威脅，岳飛的家鄉，河南省湯陰縣，正距離黃河河口不遠。

有一天半夜裡，忽然黃河決口，滾滾濁流，洶湧地侵入岳家莊，岳飛的父親岳和忽然想起，前日有個道士前來對他說：『三日之內，若令郎平安，不消說得，倘若遇到任何驚恐，可叫安人（即夫人）抱了令郎，坐在那只大水缸之中，方保得性命。』

於是，岳和趕緊要岳飛的母親姚夫人坐入水缸緊緊摟住出生未滿月的小嬰兒。姚夫人還沒坐穩，只聽得天崩地裂一聲巨響，滔滔洪水暴漲，整個岳家莊汪洋一片，成為大海。

坐在水缸之中的姚夫人又怕又累，迷迷糊糊在洪水之中漂蕩。她心忖，這下子是完了，可是，仍然把懷中的嬰兒，好好的護衛著。

說也奇怪，在水缸上面，不知何時，飛來許多鷹鳥，搭著翅翅，好像涼棚一般蓋在半空，使得岸上的人們很容易發現了這只水缸，以及水缸中的婦人。

『喂，喂，缸裡的女眷，你是哪兒漂來的？』

姚夫人昏昏沉沉之中被人喚醒，她揉揉眼睛道：『這裡莫不是陰司地府嗎？』

周圍的人忙說：『這兒是河北大名府內黃縣麒麟村，不知安人打哪兒來？』

姚夫人悲泣哽咽地說：『我是相州湯陰人，因為黃河決口，漂流到了此地。可憐我這個小兒子……』說著，姚夫人把岳飛從懷中抱了下來，眾人往前一看，只見這白胖小子，生得頂高額寬，鼻直口方，可愛得很，個個稱讚不已。

其中有個王員外，特別同情岳飛母子的遭遇，就對姚夫人道：『老漢姓王名明，舍下就在前面，安人不妨權且住下，我再著人探聽，再差人送安人回去，夫妻父子團聚。』

姚夫人再三道謝，拖著又痠又麻的兩條腿，抱著岳飛，一步一步向王員外家去。姚夫人謙和溫婉，員外府中上上下下對她又是同情又是尊敬。過了一個月，王員外派去打聽消息的人回來了，原來湯陰縣大水已平復，但是房子被沖走，田地遭毀壞，岳家的人全部葬身水底了。姚夫人哭得死去活來，如果不是因為要撫育岳飛，她也沒有活下去的勇氣。

幸虧王員外忠厚善良，岳飛母子暫且住下。到了岳飛七歲之時，姚夫人搬入王家多餘的一間小小空房，開始獨立生活，為人縫製針線換取蠅頭小利。岳飛也很乖，每天到山裡撿些枯枝，撿得多的時候，也能賣幾文小錢，貼補家用。

有一天，岳飛挑了擔柴回家，姚夫人見他今天撿得特別多，而且裡面都是整整齊齊的樹枝，不安地叮囑岳飛：『我們只能撿人家不要的枯枝，不能上樹攀折，何況，萬一跌下樹來，那怎麼是好？』

岳飛連忙跪下道：『孩兒明白，只取枯枝便是了。』

第二天，姚夫人不要岳飛去撿木柴了，她叫岳飛到河邊取了一畚箕的砂土，折了幾條柳枝，把砂土鋪在桌上用柳枝當筆，一字一劃地教導岳飛識字、作文。

此時，王員外爲六歲的小兒子王貴請了一位老師周同，除了王貴，還順便教張顯、湯懷兩個小朋友，這三個小朋友都很淘氣，不肯好好寫作業，一日，剛巧岳飛進來，他們就齊聲道：『岳哥，替我們代做了吧！』爲了怕岳飛跑走了，頑皮的王貴竟把書房反鎖起來，對岳飛說：『你要是肚子餓了，抽屜之中有點心，你儘管吃。』說罷，三個人飛也似的去玩耍了。

等到周同批改作業，發現三個小頑童寫的作文，頭頭是道，一日千里，莫不是請人代寫的？他問王貴道：『今日我下鄉去，有何人到我書房來？』

不多時，果然被周同問出了岳飛，他把岳飛喚來一看，小小年紀，卻是相貌魁梧，舉止大方，極有禮貌，周同對岳飛十分欣賞，不但決定免費教岳飛讀書，而且願意供應筆墨紙張。

從第二天起，岳飛開始歡天喜地上學堂，且與王貴、張顯、湯懷結爲兄弟，單日學文，雙日學武，如此光陰似箭，夏去秋來，這四人俱是文武全才。岳飛也有十三歲了。

有一日，縣裡來了公文，舉行今年本縣武生小考，周同立刻爲四個學生報了名。其他三個都興奮非凡，只有岳飛發愁服裝與旅費，周同拿出一件舊戰袍對岳飛說：『你拿回去，要母親改製一件小袍，再做一塊包頭巾。』另外，周同又取出一塊大紅綢子說：『這塊新料子拿去請你母親做一件坎肩兒，一副紮袖，一條大紅鸞帶，你可以去應試了……』

以後的故事，有興趣的讀者可買一本《說岳》來看，岳飛的幼年眞的這般離奇？他是坐在水缸中撿回一命嗎？他父親岳和以後有沒有消息？請看下篇。

閱讀心得

【第469篇】

岳飛的父親——岳和。

在正確史料中，岳飛的童年究竟是如何？相信是讀者們深感興趣的，過去我們將楊家將、包公、宋江等野史、正史中不同的記載前後對照，有許多讀者來信鼓勵，很贊成這種寫法。

閒話少說，言歸正傳。關於岳飛的家世及小時候的故事，宋史中岳飛傳只有短短六行文字，簡直少得可憐，令人洩氣。

根據岳飛第三世岳珂所纂《金佗祠事錄》（俗稱岳氏宗譜）之中的記載，

我們可以大略了解岳飛的家世：

岳飛是相州湯陰人，家中有田數百畝，但都是荒瘠的乾田，中國古代不重視農田水利建設，一直到清末、到民國初年，北方這些旱田，仍然完全靠天吃飯，只有天下雨時，才能夠耕耘播種。

河北地方，卻又經常遇到旱災，飢民很多，岳飛的父親岳和是個心胸寬大，樂善好施的長者。他規定自己與家人在災荒時每天早晚兩頓都只吃個半飽，然後把多餘的一半拿去給道路兩旁的飢民食用。

岳家之中有人吃不夠，肚子餓得難受，自然不免私底下嘖嘖有怨言：『自己都吃不夠，爲什麼還要去周濟別人，眞是的。』

岳和了解家人這種想法，和顏悅色的解釋：『那些飢餓災民，與你我

一般也是人，餓著肚子同樣難受，他們能夠捱著一天兩天不吃東西，我們少吃一些有什麼不可以，爲什麼非要吃得飽飽的才滿意呢？』

由於岳和是這種脾氣，有些個壞心腸的，就故意耍無賴，侵佔岳家的田地，岳和也不發怒，笑笑說：『他想要，就給他吧。』一副無所謂的態度。

有人向岳家借了錢，看岳和好欺負，故意賴帳不還錢，岳和也不在乎，還是笑呵呵，不與人爭。

因此之故，岳家一天比一天貧窮，岳和從來不後悔，鄉里之人對岳和都異常敬重，所以岳家情況原本是小富，現在稱得上是小貧。但岳飛在文章書信之中總是自謙『出身寒微』，一般人也誤以爲岳飛家境清寒。

岳飛在宋徽宗崇寧二年（西元一一〇三年）農曆二月十五日誕生於相州湯陰縣永和鄉孝悌里程崗村，他生下來的那一天，天空中有一隻大鳥朗聲長鳴，岳和認爲是好兆頭，命名爲岳飛，字鵬舉。

在岳飛還沒有滿月之時，有一天，河水暴漲，岳飛的母親情急之下，抱著小嬰兒，坐在甕中，隨著洪水漂蕩到彼岸，竟然母子兩人均安，村人都以爲是奇蹟，這個小孩大難不死，必有後福。

這一段甕中奇遇經過小説家的渲染，加油添醋，就成了岳飛母子坐在水缸之中，漂流異鄉，被王員外收留，孤兒寡母相依爲命。事實上，岳飛在小嬰兒時代雖然在水缸中躲過一場浩劫，他還是留在家鄉湯陰縣，最重要的是，岳飛的父親岳和既沒有葬身水底，也沒有下落不明，戲劇小説之中要把岳和安排早逝，可能爲的是襯托岳母的偉大。其實，岳和在世，照樣無損於岳母的母教。至於小說中描寫岳母用枯枝教導岳飛寫字，這一部分的故事也許是模仿歐母畫荻的故事。

從宋史短短的記載之中可知，岳飛自小聰明過人，領悟力強，個性沉默寡言，不喜歡多開口說話，他父親爲他聘請了一流的塾師教導他經史，並且勤練書法，我們看岳飛留下來的蒼勁的書法以及文章，可以發現他自小的學校教育必定相當扎實。

由於岳飛生長的時代，國家多難，他特別喜愛研讀兵法，不論是左氏春秋、孫吳兵法，他都是滾瓜爛熟。

最難能可貴的是，岳飛除了文章寫得好，他還身體強健，有志於騎馬殺敵，宋朝的皇帝爲了防止武人專權，特別提倡重文輕武，岳飛的父親岳和卻具有進步的觀念，他非但不阻止岳飛向武藝上發展，更專門爲岳飛請來一流的老師，那個老師不是別人，正是大家熟悉的周同。

周同對岳飛的訓練相當嚴格，岳飛也不負周同所望，他能左手右手同時開弓，未滿二十歲時，已有力量拉開三百斤的弓，舉起八石的重量。

周同教岳飛時，已是白髮老翁，沒多久就去世了，岳飛爲了緬懷師恩，除了守墓以外，每月初一、十五日又特別祭祀，岳飛的父親岳和對岳飛的溫厚十分嘉許，也很鼓勵岳飛爲周老師守孝。

這個時候的宋朝已飽受外患侵略，遼國、金國相繼騷擾邊境，岳和摸著岳飛的頭問道：『如果有一天，國家需要你，你願意做一個殉國的忠臣嗎？』

『只要大人讓孩兒報効國家，何事不敢爲？』岳飛昂著頭答道。

『有子如此，吾無憂矣！』岳和欣然地說。

由以上故事可知，岳飛之所以爲岳飛，得之於他父親岳和一手栽培之處甚多，與我們一般以爲完全是受母教有些不一樣，可見得，一個偉大人物的鑄造，父母都是相當重要的，這段經過，恐怕一般少見到吧！

閱讀心得

【第470篇】岳母刺背。

話說，岳飛在恩師周同的指導之下，武藝大進，岳母也時時勉勵岳飛要做一個忠臣。

宣和四年，眞定宣撫劉韐召募敢死戰士，岳飛就在父親的祝福聲中，踏出報効國家的第一步。

劉韐字仲偃，建州崇安（今福建崇安）人，進士及第，曾經平定西夏，極有功績，當他出長越州之時，方臘作亂（方臘的故事本書前面說過），來勢洶洶，各個州縣都在做逃難的打算。劉韐剛正的說：『我爲郡守，應該與本城共存亡。』

因此，劉韐加強守備力量，積極武裝，城中官兵見劉韐意氣風發，準備大幹一場，引發了同仇敵愾的心理，所以當方臘兵臨城下，就被官兵打得落花流水，劉韐因此升爲右殿直學士，召爲河北、河東宣撫參謀官。

劉韐擔任眞定宣撫使，他手裡拿著新兵名冊，親自主持點名編隊工作，劉韐每喊一個名字，新兵就大踏步自隊伍之中走出。

當劉韐喊到『岳飛』，他忽然眼前一亮，因爲岳飛不但體格壯健，而且英氣內斂，具有讀書人的優雅氣質，岳飛、岳飛，劉韐默默在心裡唸著，覺得這個名字似乎相當耳熟。

『你是不是那個能夠挽三百斤弓，射出兩百四十箭垛的岳飛？』劉韐好奇地望著這個年輕英俊的小伙子。

『是的。』岳飛鎮靜地回答長官的問話，態度自然大方，彬彬有禮。

『好，那你擔任本軍的小隊長。』劉韐興奮的宣佈。

於是，岳飛這位小隊長開始了肅清盜賊的任務。

在相州，有兩個巨盜，名叫陶俊、賈進和，他們有不少嘍囉部下，幹些打家劫舍的勾當，岳飛向劉韐請求給予一百名騎兵，消滅這一股盜賊。岳飛先派一些官兵偽裝成商人，到盜賊出沒的地方去，不久，這批假商人果然被強盜逮住，強盜將他們編入隊伍中。

接著岳飛就對這群強盜發動攻勢，岳飛首先派了一百名官兵埋伏在強盜山寨的山下，然後親自率領幾十個騎兵去攻打山寨。強盜們眼見岳飛兵少勢單，覺得容易對付，不當一回事的出來迎戰。

只打了兩三回合，岳飛假裝打敗，招呼自己的騎兵撤退，強盜們不疑有詐，蜂擁向前追趕，到了山下，埋伏的官兵突然出現，殺得強盜手忙腳亂，倉惶而逃。

這時，那些被強盜們收編的假商人在山寨中也採取了行動，乘陶俊、賈進和沒有防備，兩個盜首一舉被擒。於是，相州這一股強盜便被岳飛平定了。

過了沒有多久，岳飛忽然接到噩耗，原來他的慈父岳和去世了，一向孝順的岳飛立刻奔喪，返回故鄉，一面守孝，一面陪伴母親，同時溫習詩書，努力學問。

岳飛雖然在鄉里，過著平靜的日子，對於國家大事，仍然寄予無比關懷。靖康元年，金人攻陷汴京，徽欽二帝被俘而去（這一段經過，本書前面交代得十分清楚），岳飛聽到這一樁宋朝的奇恥大辱，難過到了極點，心臟彷彿要炸開似的，他決心稟明母親，上沙場報効國家。

岳老夫人是個明理的母親，她雖然萬分捨不得孩子，卻具有強烈的愛國情操，何況『從戎報國』也正是岳飛父親岳和生前的願望。

岳飛臨走之前，岳母忽然心中忐忑不安，她和藹地說：『我了解你甘守清貧，不貪濁富，可是，一個人一生之中，難保不受誘惑，不做一點糊塗事，我要在你背上刺幾個字。』

岳飛一言不發，默默地跪在香案之前，脫去上衣，露出背脊。

岳母先拿起毛筆，在岳飛背上寫了四個字，然後，取出繡花針順著毛筆字跡刺上去。

繡花針刺入肌膚，岳飛本能的一抖，一顆顆豆大的血沫流滿了背脊。

『是不是很疼？』岳母親切的問著。

『不痛，一點也不痛。』岳飛趕快接口。

『怎麼可能不痛，你是擔心娘手軟刺不下去。』岳母心中其實一滴一滴在流血，她比岳飛本人還疼，但是，她就是要讓岳飛有這一段刻骨銘心、痛徹心肺的回憶，永遠不要忘記母親的教誨。

岳老夫人終於咬緊牙根把『盡忠報國』這四個字刺好了，再將醋墨塗上，這四個字就永遠留在岳飛的背脊上，也深深地烙印在岳飛的心版之上。岳母在岳飛背上刺的字是『盡忠報國』，爲什麼有些書記載爲『精忠報國』呢？這也許是因爲宋高宗後來曾頒授御書『精忠岳飛』旗幟給岳飛，後人便將『盡忠報國』誤爲『精忠報國』了。

閱讀心得

【第471篇】

岳飛大戰吉倩。

假如把岳飛喻爲一匹千里馬，那麼，前篇之中提到的劉韐，應該是第一個賞識千里馬的伯樂了，劉韐後來怎麼樣了？在這兒，我們先補充一段劉韐的小故事：

金人佔領汴京以後，劉韐被任命爲赴金營談判的代表，金人找了韓正去遊說他投降，韓正見到劉韐，一抱拳道：『金國將要重用你，可喜可賀。』劉韐不領情，沒好氣地回道：『忍辱偷生以事二姓，我劉韐不爲也。』

韓正仍然滿面笑容阿諛地勸劉韐：『軍中正在擁立異姓爲帝，與其白白送死，不如北去，共享富貴。』

劉韐仰天大呼：『有這種事？』他回房之後，寫了一張短短的紙片：『金人不認爲我有罪，而認爲我可用。但是，貞女不事二夫，忠臣不事二君。主上煩憂是臣子的恥辱，臣還能活在這世上嗎？』寫完遺言以後，劉韐沐浴更衣，飲毒酒而死，岳飛聽說劉韐殉國的消息，十分哀傷。

岳飛守完了父喪，帶著母親的祝福及背上『盡忠報國』四個大字，回到相州，正好這時康王趙構（即爲後來的宋高宗）也到了相州，岳飛拜見了康王，康王命令岳飛去討伐附近的一股強盜，這股強盜的首領名叫吉倩。

吉倩是個自負武藝很高的人，岳飛決定單獨向吉倩挑戰，於是，寫了一封挑戰書給吉倩，約定時地，兩人比武。

到了比武地點，吉倩一看，岳飛果然是單槍匹馬而來，心中對岳飛的守信與勇氣，已有了幾分佩服。兩人也不說話，就放馬對殺起來。

岳飛使用長槍，吉倩手執銅槌，兩人氣勢都不同凡響，顯見是一對高手比劃，幾回合之後，岳飛摸清楚吉倩的槌法路數，趁吉倩一個破綻，長槍一刺，吉倩大吃一驚，趕緊低頭躲過，嚇得出了一身冷汗。

岳飛的武藝確實比吉倩高，好幾次岳飛都可以輕取吉倩的性命，但是卻不忍心下手。吉倩也漸漸領會到岳飛數度手下留情，欽佩加上感激，使吉倩終於棄槌認輸，並且帶領了三百八十個兄弟一塊歸順岳飛，這三百八十個壯士遂成爲岳家軍的基本人馬。

岳飛收服了吉倩，因功被任官爲承信郎。這時，金兵在開封和黃河一帶縱橫騷擾，出沒不定。有一次，岳飛帶領一百個騎兵在黃河南岸演練，忽然一隊金兵騎馬奔來，岳飛對他的弟兄們說：『來的敵人不少，我們實在寡不敵衆，但是，敵人不知道我們的虛實，我們要趁他們還沒有穩定下來之前，主動先攻擊！』

於是，岳飛單身一躍上馬，飛馳迎敵，敵軍陣中出來了一員驍將，手舞大刀，迎上了岳飛。岳飛藝高膽大，幾個照面，就把那員驍將給殺了，金人大駭。岳家軍隨著岳飛的得手，也催馬上前，揮舞武器，一陣砍殺，金兵便糊裡糊塗地大敗而逃。

這次戰役以後，岳飛升爲秉義郎，奉命調到宗爺爺宗澤的麾下。岳飛參加過開德、曹州兩次對金兵的戰役，都建有功勳，使宗澤大感奇怪，要看一看岳飛究竟有什麼才能。

宗澤首先要求岳飛表演槍法，岳飛也不客氣，在演武場上，把熟悉的槍法儘量使了出來，只見岳飛如龍騰虎躍，槍法有如排山倒海，使站在他身旁的人感受到強大的壓迫感，氣都喘不過來，宗澤看在眼裡，不斷點頭稱讚。

操演完畢，宗澤把岳飛喚到面前，詳詳細細詢問岳飛的家世，宗澤見岳飛相貌堂堂，氣宇軒昂，以爲他必定是將門之後，不料卻是來自農村的好漢，宗澤和藹地對岳飛說：『你的勇猛、才藝，即或是古代的良將也不見得能夠比得上你，但是，只會打野戰非萬全之計。』說著，宗澤拿出佈兵陣圖交給岳飛：『你回去仔仔細細研究一番。』

岳飛雙手接過陣圖，含笑對宗爺爺道：『我也讀過一些兵書，但是打仗不能墨守成規，運用之妙，存乎一心。』

想岳飛小時候就對兵書有興趣，以後向周老師學藝，更是對孫吳兵法極有心得，其中許多地方，他都可以毫不費力的倒背如流，而且提出自己獨到的見解。宗澤對岳飛，可以說是愈看愈喜歡，心中不斷地說，宋朝打金人有希望了，有希望了！

靖康二年，康王在應天府即皇帝位，改元爲建炎元年，是爲南宋第一代君主——宋高宗。

宋高宗雖然用名重一時的李綱爲宰相，但是卻一意偏袒黃潛善、汪伯彥兩個奸臣，岳飛志在收復失土，迎回徽欽二帝，看在眼中，著實發急，終於忍耐不住，放下長槍，拿起毛筆，洋洋灑灑寫了一封數千言的奏章，呈宋高宗（李綱、汪伯彥、黃潛善的故事本書前面都講過）。

在奏章之中岳飛寫道。『陛下已登大寶，社稷有主，已足以對抗金人，金人正以爲宋朝素來軟弱，不免有所懈怠。我們應該趁這個機會迎頭痛擊。黃潛善、汪伯彥二人不能順承皇上收復舊河山的意旨，反而日日夜夜計畫南遷，恐怕不足以維繫中原人心，臣希望陛下能夠在敵人巢穴尚未鞏固之前，親自率領大軍北渡黃河，將士們一鼓作氣，中原必定可以光復。』

岳飛會寫文章，也懂帶兵打仗，正是中國人所尊崇的儒將，宋高宗對岳飛的奏章會有什麼反應？

閱讀心得

【第472篇】張所與岳飛論兵法。

宋高宗看到岳飛的奏章，正好說中他的內心弱點，不免惱羞成怒，因爲宋高宗其實並沒有光復中原的理想，卻又無法駁斥岳飛堂堂正正的議論，無名之火熊熊升起。

待宋高宗再看看是哪一個膽大包天的臣子想要教訓皇帝，原來是個小小的秉義郎，宋高宗龍顏大怒，便以岳飛『小臣越職，妄言國事』的罪名，撤除岳飛的官職。

岳飛無可奈何地接受了處分，正不知何去何從，聽說張所在河北召募軍士，準備與金人大戰一場，遂前往河北去也。（請參考前面〈張所招撫河北〉篇）

張所聽說過岳飛的威名，大喜過望地迎接岳飛，並且用最為尊敬的態度來接待岳飛，任命他為修武郎，擔任中軍統領。

張所問岳飛：『你能夠對抗多少敵人？』

岳飛回答：『只憑勇氣是不能依靠的，用兵之道最重要的是設定計謀，像欒枝曳柴以敗荊，莫敖采樵以致絞，都是設定計謀而獲勝的例子。』

張所聽了岳飛所說的話，驚訝地一下站了起來：『你大概不是行伍軍隊中人，你根本是個書生嘛！』

岳飛本來也是個飽讀詩書的書生，他回答張所問話中的『欒枝曳柴以敗荊，莫敖采樵以致絞』是左傳一書中記載春秋時代的兩個故事：

欒枝是晉文公手下的大將，晉與楚在城濮打了一仗，晉軍悄悄地埋伏在道路兩旁，欒枝命令幾個士兵駕著馬車拖著樹枝，沿路向後奔跑，樹枝在泥地上拖，颳起了滿天灰塵，楚軍看到了大片灰塵一路飛揚，以爲是晉軍大隊人馬敗逃的跡象，興奮地對著塵土飛揚的方向追趕過去。不料追趕不遠，卻遇到埋伏的晉軍，左右夾擊，楚軍這才知道中了欒枝的誘敵之計，想要退兵已來不及了，結局自然是楚軍大敗，這裡的『荊』指的是楚國。

『莫敖采樵以致絞』，是另外一個有趣的小故事：莫敖是春秋時代楚國的官名。原來，楚武王有個兒子，名叫屈瑕，官至莫敖。有一次，楚國要去攻打絞國，屈瑕建議楚國不要大張旗鼓，應該悄悄地前去。

到了絞國附近，也不驚動採樵的樵夫，於是絞國的國君都不知道楚國的軍隊已經到了城外，楚軍在絞國毫無防備的情形下，輕輕鬆鬆將絞國消滅。

張所對岳飛極爲看重，派他擔任中軍統領。

在這段期間之內，岳飛渡過黃河，收復新鄉，在太行山之役，生擒金朝大將拓跋耶烏，又曾單槍匹馬，手持丈八鐵槍，刺殺黑風大王，由於功業彪炳，引起了王彥的嫉恨，岳飛又回到宗澤爺爺麾下。

宗澤這時候擔任開封尹兼領東京（開封）留守，他素來看重岳飛，見他率部重歸，大爲開心，宗爺爺的頭髮早已花白，可是內心相當年輕，與岳飛可說是忘年之交。

宗澤這個沙場老將，他擔任留守之後，首先平穩物價，休養生息，然後積極武裝，規劃戰具，把殘破蕭條的開封建立成爲一個嶄新的堡壘，並且每日檢閱軍隊，準備渡河反抗。

金兵害怕宗澤眞的打過來，決定先發制人，派了數千精兵殺向汜水。宗澤把抵禦金兵這個艱鉅的任務交給岳飛：『鵬舉，你是我最寄予厚望的人，你可要好好表現。』

岳飛施禮道：『元帥放心，岳飛必竭智盡忠，上報國家，下報相公。』

果然，岳家軍兵出如神，把金人打得血流成渠，宋軍軍威重振，開封安如磐石，宗澤興奮得不得了，一再對岳飛說：『現在我們可以大大幹一場了。』同時，把岳飛升爲都統制。

當然，大軍北上反抗，不能只靠開封，宗澤前前後後上了二十四個奏章給宋高宗，請求朝廷早日重返開封，宋高宗愛理不理，隨隨便便敷衍老臣，聽說岳飛打敗金人，非但不高興，而且擔心戰火再起，急得要逃往揚州。

從此，宗澤背上長疽，憂憤成疾，在連呼三聲『過河、過河、過河』之中昏迷而卒。

宗澤死了，開封城中老百姓聽到這個噩耗，家家痛哭，人人臂戴白布。宗澤有一個兒子宗穎，也在軍隊之中，宗穎頗有乃父之風，很有人緣，大家都希望宗穎能夠代替宗澤擔任開封留守，可是，朝廷已有命令下來，用杜充接替宗澤的職位。君命不可違，開封人民盼望杜充與宗澤一般，是個愛民如子的好官。

偏偏事情的發展，往往違背人們的意願，杜充比起宗澤，實在是個太不可愛的新留守。

杜充，字公美，紹聖期間，登進士第，雖然是考場勝將，卻不代表會是個好官吏，他對功名相當熱中，性情殘忍而且冷酷。

靖康初年，杜充接掌滄州，滄州境內有許多投降來歸宋朝的燕人，他因爲擔心這些燕人會成爲敵人的內應，竟然下令全部殺光，一個也不留。

建炎元年，杜充擔任北京留守，提刑郭永目睹杜充的所作所爲，忍不住譏嘲杜充：『人有志向而沒有才氣，愛好聲名而不扎實，驕傲自大卻享有聲譽，這種人而擔當大任，還想有什麼好下場？』

閱讀心得

【第473篇】

杜充棄守開封。

宋高宗建炎二年，宗澤去世後，杜充代替宗澤擔任東京留守兼開封尹。

杜充新官上任，立刻改變了宗澤任內的一切措施。當初，宗澤爲了對抗金人，不但號召兩河地帶忠義民兵，並且用眞情感動了草莽流寇，大家精誠團結，共赴國難。

杜充的作風與宗澤大不相同，他對河東巨寇王善，沒角牛楊進等人缺乏好感，完全把他們當成紅眉毛、綠眼睛的土匪看待，他們所需要的軍需補給，一概不理，任其自生自滅，而且言語態度十分輕蔑。王善、楊進這群山大王本來就是心粗氣豪之人，因爲被宗爺爺一片報國熱忱所感動，才離開山寨，接受招安。哪兒受得了杜充的窩囊氣，其中有些土匪就因爲不滿意杜充，乾脆又回到山上，重新再做打家劫舍的勾當。

接著，杜充又命令岳飛征剿已降服宗爺爺的盜匪張用的部隊，岳飛不以爲然，卻又不能違抗長官的命令。

結果，張用被打敗了，王善、楊進、曹成、馬友、丁進、李貴卻全都軍心動搖，他們發牢騷說：『今天杜充不高興，可以解決張用，明天，不知該輪到誰？』

於是，宗澤辛辛苦苦，一手建立起來的反金陣營，頃刻之間，完全瓦

解了。

張用的餘黨竄往豫南，在確山、信陽一帶，打著『張莽蕩』的諢名，以張用老婆『一丈青』爲首，又成爲綠林好漢。

金人知道開封府內有了分裂，建炎二年八月二日金兵大舉進犯，在汜水關展開大戰，岳飛跳上馬鞍，兩腿把馬一夾，呼刺刺衝向前去，逢人就挑，遇馬便刺，耀武揚威，槍挑劍砍，殺得敵軍大潰。

可惜，岳軍畢竟人少勢單，金軍又不斷增兵，眼看著糧食快要吃完了，岳飛心生一計，他秘密挑選精兵三百，埋伏在山脚之下，每個人發給兩束稻草，到了夜半時分，四端同時點燃稻草，遠遠望去，整個山脚一片點點火光，金人誤以爲宋軍大批軍援開到，慌忙後退，岳飛趁這個機會放馬追擊，金兵喧喧嚷嚷，自相踐踏，人撞馬，馬撞人，亂哄哄的逃命而去。

建炎三年，岳飛又力克來犯的王善、杜叔五、孫海等，雖然岳飛憑著一己力量，守住了開封，可是杜充愈來愈有恐懼感，最後，他決定離開汴京。

岳飛苦苦哀求道：『中原之地，一尺一寸都不可以拋棄，今天我們一腳離開這裡，明天此地非我所有，以後若要再收復，非要動員數十萬衆不可。』杜充根本不聽，岳飛迫不得已，只好率領部衆，隨著杜充南行。

到了建康之後不久，杜充果然投降了金人，岳飛獨自率領所部及其他不願意投降的軍士們離開，並且以宜興爲基地，逐漸擴大岳家軍。

故事說到這兒，我們暫且先放下岳飛，回頭再看看宋朝的朝廷：

從建炎元年十二月開始，金兵分三路大舉南征，這個時候，唯一能夠抵抗金兵的，只有一個宗爺爺宗澤，宗澤一死，杜充接手，全盤局勢完全改觀，雖然有一個岳飛奮勇抗敵，在汴洛之間，阻止金人進犯。可是，狡猾的金人，這條路走不通，另闢路線，一由淮陰進襲楚州（江蘇省淮安縣），一由徐州攻擊泗州（安徽泗州），於是乎，像兩把大鉗子一般，輕輕鬆鬆夾住了揚州。

此刻，宋高宗正在揚州，聽說金兵打來了，嚇得穿上介冑，牽著馬匹，慌慌張張就往行宮門外走，只有王淵、張俊及宦官康履等五、六名隨行，經過市區，有老百姓發現這個奇特景象，大聲叫嚷：『官家逃走啦！』一會兒工夫，宮中的太監們發現皇上溜了，著急地自宮中一湧而出，滿城大亂。宋高宗經過揚子橋之時，有一名衛士看到天子這般狼狽窩囊，出言不遜，隨口講了幾句粗話，宋高宗正一肚子的火沒處發洩，順手就揮劍把這個衛士給殺了。

當時的軍隊與百姓對黃潛善、汪伯彥可說是恨之入骨，當司晨卿黃鍔來到江邊，軍士招呼：『黃相公在此。』馬上有人指著鼻子罵：『你這個姓黃的，誤國害民都是你的罪。』黃鍔著急地不斷搖手，還來不及分辯自己是黃鍔，不是黃潛善，腦袋已經被搬了家。除了黃鍔被黃潛善牽累，其他還有給事中兼侍講黃哲正在散步，冷不防被個騎馬的騎士射了四箭，當場倒地而卒。另外，鴻臚少卿黃唐俊渡江時被船夫溺死，都是因爲姓錯了而白白送死，眞正的黃氏罪人黃潛善倒是安然無恙，活得好端端的。

早在金人攻掠陝西、京東、山東，群盜蜂起之時，成章即曾上奏，一條一條列舉此二人之罪過。高宗非但不理會，反而下詔責備成章不守本職，動輒批評大臣，太不應該。

宋高宗對自己倒是頗爲自信的，他曾在建炎二年三月下了一道手諭中提到：『朕每次退朝以後，若有臣子奏事，還是端正衣冠，再坐而聽，絲毫沒有不耐煩；而性格上又不喜歡與婦人長久相處，不會沉溺聲色，殿旁小閣，除了筆硯之外，就沒有其他東西，每天都是在爲國操勞。』

高宗或許能稱得上勤政，他也沒有荒淫無道，不過宋高宗畢竟欠缺知人之明，又過於膽小怕事。

閱讀心得

【第474篇】王淵搬運珠寶。

宋高宗建炎三年，金朝大舉入侵，粘沒喝的五百名先鋒騎兵已經到達了揚州，正在揚州的宋高宗嚇得手心出汗，兩脚發軟，匆匆忙忙帶著御營統制王淵，宦官康履等少數親信步行到達瓜州。經過揚子橋，有名衛士出言不遜，宋高宗一肚子無名火沒處發，順手抽劍把衛士給殺了。

到了瓜州不久，吏部尚書呂頤浩等氣急敗壞追趕上來，想辦法弄了一艘小舟，得以順流而下，到達鎮江。宋高宗上了船，方才稍稍喘口氣，取出佩劍把劍上的汙血去掉，卻連一塊乾淨的布都找不到，只得在靴上隨便抹一抹。

當天晚上，金朝大將瑪圖到達揚州。一進城就急著找宋高宗，民眾們告以：『早就渡江了。』金人趕往瓜州，看到江水浩蕩，嘆了一口氣，暫時停止追趕，在摘星樓之前屯兵。城中的仕女金帛，被金人搶奪一空，老百姓爭相逃命，慘不忍睹，到後來，金人乾脆一把大火，把揚州燒成了一片焦土。

宋高宗逃難之時，非常倉促，不但朝廷所有儀物完全丟棄，連祖宗牌位也不要了。太常少卿季陵忠心耿耿，把九朝神主的牌位緊緊帶在身邊，拚了老命地守護，卻還是不慎把宋太祖趙匡胤的靈牌掉在地上跌了一個粉

碎。

宋高宗到達了鎮江，心中一大塊大石頭總算落地，此時恰是正月裡，天寒地凍，慌忙之間，竟找不到寢具，被單沒有，棉被沒有，枕頭也沒有。幸虧高宗隨身帶著一塊貂皮，半披半臥禦寒。

高宗折騰了一整天，筋疲力竭，閉上眼睛，卻怎麼也睡不著，心中頻呼『好險，好險』，萬一遲溜了一步，被金人逮住，那麼，未來命運不問可知，他眼前似乎浮現了宋徽宗、宋欽宗舂米爲食，織麻爲衣的奴隸生涯。

金人爲了侮辱宋朝這兩個皇帝，竟然在建炎二年八月命他二人青衣小帽庶人素服朝見金太祖廟，又在乾元殿跪見金主，接受冊封，冊封什麼呢？簡直是羞辱之至，封宋徽宗爲昏德公，宋欽宗爲重昏侯。

宋高宗想到這裡，了無睡意，第二天一大早，迫不及待召集群臣商議對策：『我們姑且留在此處？還是前往浙江？』

奉國軍節度使、都巡檢使劉光世一步向前，捶著胸呼天搶地的痛哭。

宋高宗問道：『何以如此？』

劉光世噙著眼淚回答：『都統制王淵專門負責江上海船，每次都說絕不誤事，現在，他怎麼自圓其說？』

高宗不耐煩地皺起眉頭：『如今應當討論的是去留的問題。』

聽到高宗這麼說，吏部尚書呂頤浩第一個『通』的一聲跪倒在地，繼而戶部尚書葉夢得等三個人也拜趴在地上不肯起身。

呂頤浩以頭叩地首先發言：『臣等願意留在此地，爲江北聲援，否則，金人乘勢渡過長江，我朝處置愈加狼狽。』

葉夢得也跟著在地上碰了一個響頭曰：『善。』

既然臣子們都願意赤心保國，宋高宗爲一國之君，又怎能腳底抹油，他別無選擇只好裁決：『宰相前往海上經略，號令江北諸軍，令結陣防江。』

不料，到了第二天，事情又有了轉變，原來王淵聽說劉光世在朝廷之上，放了他一炮，攻擊他不待金兵前來，望風而逃。事實上也的確如此，王淵爲了擺脫責任，竟然把手下江北巡撫皇甫佐給殺了，然後上奏高宗：『鎮江只能禦捍一面，倘若金人自通州（江蘇省南通縣）渡江，控制蘇州，那怎麼辦？杭州前有揚子江，後有錢塘江二重天險，可以做爲行都。』

高宗左盼右盼，就在盼這一句話，想他到了鎮江，驚魂未定，不斷接到軍報，說是金人即將攻來，但又不好意思承認自己害怕，眞難得王淵代爲開口，於是，立刻起駕，直奔杭州。

王淵提出這個建議，一方面固然是摸透了高宗的心思，另一方面，他平日頗搜括了不少金銀財寶，留在鎮江，日夜難安。

爲了搬運王淵的家產，一口氣動用了十艘大船，什麼國家的公務、庫藏、文件都排隊在後。因爲王淵官拜御營統制使，又兼運輸專使，旁人哪有開口的份兒？

當一艘艘的巨舟駛入杭州，許多老百姓爭先恐後跑到港口看熱鬧，七嘴八舌的指指點點，當他們發現卸下的一口一口大箱子幾乎全是王淵的家當，有人忍不住開口笑道：『這豈不成了王宅府第的喬遷之喜？』

另外有頗知內情者道：『據說王淵平時殺奪富豪之家的財產甚多，如今算是開了眼界了。』

由於王淵飽入私囊的財貨不少，他出手極爲大方，做出輕財好義的模樣，標榜的是家無宿糧，家裡頭不存明天的糧食，他曾經豪氣干雲，拍著胸脯誇耀：『朝廷給官給爵，用俸祿代替農耕，足以維持生活，如果我還要斤斤計較，貪愛爵祿，我不如做一個富商大賈。』

當時王淵不但負責運輸政府財物，高宗渡江後，北岸遺留的數萬兵馬與十多萬難民，也都歸王淵指揮調度，由於他一心一意只想到自己的私產，沒有心思顧及軍民的死活，許多人在爭渡之時，墜江而死，也有過不了長江的宋兵，流落成爲盜匪，這都不是假公濟私的王淵所關心的。

閱讀心得

【第475篇】

康屨洗脚。

金人入侵揚州，宋高宗逃到鎮江，仍然覺得不安全。後來，接受王淵建議，遷都杭州，由王淵擔任運輸專使，王淵一心一意把自己搜括來的家財運往杭州，卻把國家財物拋在後頭，引起朝野上下的不滿。

建炎三年二月，高宗在杭州落脚，爲求國家安定，爭取人民的向心力，他大赦天下，徵求直言。於是中丞張澂就老老實實，毫不留情列舉了黃潛善、汪伯彥兩位宰相二十條罪狀。

　　事情演變到如此惡劣的情況，兩位宰相難辭其咎，高宗只有忍痛將他二人免職，黃潛善出知江寧府（今南京市），汪伯彥出知洪州（今江西省南昌市）。不僅如此，連當年伏闕上書，因爲攻擊黃、汪兩人而被問斬的太學生陳東、書生歐陽澈都獲得平反，下詔『贈承事郎，令所居縣存卹其家』。（陳東、歐陽澈兩人的故事十分悲壯，本書前面已講過。）

　　同時，宋高宗爲了博取民衆的好感，他更下詔書自責『朕遭時變故，知人不明』，以後應當『悔過責躬，洗心改革』，話說得相當漂亮動聽，事實上，他南渡以後，照樣用人不當。

　　黃潛善、汪伯彥下台一鞠躬去也。首先倡議遷都杭州的王淵，成爲高宗最寵幸的大臣，王淵的發跡，得力於宦官康履，所以，王淵指揮搬家，

搬完了自己的金銀財寶，緊跟著就是裝運康履利用職權、賣官鬻爵得來的不義之財。

這康履是何許人？原來遠在高宗還沒有當皇帝，只是被宋徽宗封爲康王的時代，康履已隨侍左右，聽候差遣，是康王府中的一名宦官。後來，宋朝不幸發生了靖康之難，金人把徽、欽二帝及宋室諸王、諸妃、皇子、皇孫、公主、駙馬一塊擄走。只剩下康王因爲擔任割地特使，沒有留在京城，成爲幸運的漏網之魚，扶搖直上，當了皇帝，康履也跟著一飛沖天。

由於康履在高宗面前走紅，他又會作威作福，許多大將如劉光世都巴結著他。高宗特別下了一道詔書，規定以後內侍（宦官）不可以與統兵官相見，違背者停官編隸。但是，康履照樣肆無忌憚。

康履爲了讓大家知道他身價不凡，不可等閒視之，存心在將領面前耍威風，他竟然要帶兵打仗的大將參觀他的洗腳大典。

將官們懾於康履身分特殊，宦官有請，不敢不去。到了以後，只見康履衣冠不整，蹺著臭腳丫子，讓幾名衣著華麗的婢女跪在地上爲他捏腳、除垢、按摩，最後還修腳指甲，康履一面吃著水果，神情愉快。將領們看著作嘔，幾乎想吐，卻還要陪著笑臉，心裡頭是窩囊透頂，堂堂一呼百諾的大將，居然受此難堪，眞是嘔！

在中國歷史上，曾經有一個很有名的關於洗腳的故事，那就是漢高祖劉邦。

當劉邦還是沛公時代，有一天住在高陽旅舍，派人召見儒生酈食其，當酈食其闖入房門時，劉邦正坐在床前，舒舒服服讓兩位美人幫忙洗臭腳。劉邦瞄了酈食其一眼，馬上又閉起眼睛，哼著小曲兒，快樂地享受美人兒殷勤的服務。

酈食其火氣很大，他嚴厲的指責劉邦：『你就用這種態度對待儒生，你還想破秦？還希望有賢人爲你獻計？』

劉邦以前最討厭讀書人，他是流氓出身，老是嫌書生迂腐，每次見到儒生，總要借他們的儒冠灑一泡尿，當作溺器。這會兒被酈食其一罵，倒給罵醒了。他立刻把腳擦乾，換上整齊的袍子，恭恭敬敬奉酈食其爲上賓，封爲廣野君。以後，人們就用這段故事說明劉邦知錯能改、禮賢下士，終於建立了漢朝。（此段經過頗爲有趣，讀者們可以參考本書講過的漢高祖故事。）

康履是否聽過劉邦洗脚的故事，故意如法炮製，而且只上演前半段羞辱人的部分，我們不得而知。但是他『踞坐洗足』，大模大樣招待參觀洗脚的做法，幾乎所有的將領都憤憤不平。

中國有一句諺語：『上有天堂，下有蘇杭。』康履到了人間天堂，美景如畫的杭州，如果不盡情享受一番，豈不有負良辰美景？於是康履及他的一批同黨，每天忙著以射鴨爲樂。後來，他又慫恿高宗去觀看錢塘潮。

錢塘潮乃天下奇觀，錢塘江江闊三公里，漲潮時海水向岸上衝擊，海浪飛上天，再落下來，氣勢磅礴，一會兒像游龍升天，一會兒又像瀑布瀉地，一股海浪衝起，廣闊無垠，整齊得像一排軍隊，快速衝刺，夾著呼嘯之聲，令人感到千軍萬馬，對著自己衝來，使得人連氣都喘不過來，可是那排軍隊接近海岸突然向上翻躍，讓人驚奇怎麼海水上了天？接著，天上的海水像瀑布一樣傾瀉下來，那種不由山上流下來的瀑布，既奇特、又壯觀，瀑布消失，留下來的是滿天水霧，一陣海風吹來，水霧沾濕了觀潮者的面頰，有一種說不出來的舒暢感覺。

高宗被康履一說就心動了，常常藉口散心，勞師動眾，前往錢塘江觀賞漲潮美景，沿途之上，康履不斷騷擾百姓，甚至為了搭建宜官的帳篷看臺，居然把道路給封死了，眞是鬧得天怒人怨，也種下了大禍。

閱讀心得

【第476篇】苗劉之變。

宋高宗逃到杭州以後，寵信臨陣逃脫的大臣王淵，以及作威作福的宦官康履，引起朝野一致的不滿。尤其是康履故意作弄大將，召集將領參觀他的洗腳大典，又忙著射鴨爲樂，慫恿著高宗勞民傷財觀賞錢塘潮奇景。扈從統制苗傅看得眼睛都要冒火兒了，他咬牙切齒的痛罵：『你們看看，就是這批鼠輩使天子到這步田地，竟然還敢如此放肆！』

威州刺史劉正彥也有同感，他說：『苗君所說的正是一個忠臣應該說的話，我願與君共同爲國掃除此輩。』

於是，苗傅和劉正彥，一個是世代將門，一個是出生入死的驍將，聯合組成『赤心軍』，陰謀叛變。

但是，苗劉之舉動，一下子就敗露了行跡，有一個康履手下的小宦官拿到一卷文書，悄悄地遞給了康履。康履一看，只見文書卷末有兩個小行：

『統制官田押，統制官金押。』

『這是什麼意思？』康履看得一頭霧水。

小宦官壓低了嗓門道：『軍中陰謀叛亂，「田」即「卄」「田」的苗傅，金即「卯」「金」「刀」劉的劉正彥，凡是願意跟著他二人者，就在這文書後面簽名。』

康履大吃一驚：『這還得了嗎？莫不是想要造反？』按苗劉的部下，多半是燕、趙之人，自古以來，燕趙兒女多半慷慨激昂，他們對於朝廷放棄兩河、中原之地，一直是表示反對的，也再三請求高宗打回老家。

康履接到消息，立刻飛報高宗。但是苗劉已發動了武裝政變。

建炎三年三月癸未那天，高宗召百官入聽宣制，任命劉光世爲殿前都指揮使。王淵退朝回家，走到城北橋上，被預先埋伏橋下的士兵揪落下馬，五花大綁來到了宮門口，劉正彥當場宣佈王淵的罪狀之後，把他的腦袋一刀給割了下來。

接著，苗劉一群人圍攻康履家，分途拘捕內官，凡是沒有鬍鬚的男人殺了再說，可是翻來覆去的搜索，卻找不著康履本人。

原來康履是個鬼靈精，溜得很快，一下子就躲到宋高宗身後，高宗聽說此事，大驚失色，拉著康履和宰相朱勝非急急忙忙奔上御樓，然後撤去樓梯，讓追兵沒法上來。

宋高宗倚著欄杆，大聲地問苗傅、劉正彥：『你們爲什麼要造反？』

苗傅也怒氣沖天的問皇帝：『陛下信任宦官，賞罰不公，黃潛善、汪伯彥誤國至此，尚未遠竄。王淵遇敵不戰，卻首先渡江，載私財，棄公務，讓成千累萬軍民，遺棄江岸，任其奔迸溺斃，來到杭州以後，佔領民居，掠奪民物，怨聲載道。臣已爲陛下去除此奸臣。還有康履，聽說躲入御樓，請陛下速將此賊交出，以謝三軍。』

宋高宗沒有料想到事情會演變到這種情況，他不悅地表示：『內侍如果有過失，當流放海島，卿等可以歸營了。』

苗劉等人當然鼓譟著不肯離開。高宗不知如何是好，轉過頭來詢問百官：『可有什麼好計策？』

軍器監葉宗諤說：『陛下何必捨不得一個康履？就算是慰勞三軍吧。』

說起來，高宗還眞捨不得康履哩。因爲做皇帝的，自小生長在深宮，由宦官撫育長大，從沒有嘗過父母兄弟天倫之樂，在情感上來說，自然覺得宦官比較親密，尤其宦官是生理上有缺陷的人，不會生育子女，也不可能搶奪皇位，做皇帝的，比較放心。至於像康履，曾經在高宗狼狽逃難之時，隨侍左右，高宗更有一份體己親密之感。

但是，苗劉來勢洶洶，非得到康履不肯善罷甘休，高宗沒可奈何，只有命令康履下樓，康履一下樓，立刻被苗劉的兵攔腰給砍了一半，一寸一寸磔去身上的肉，然後把康履及王淵兩顆腦袋，相對地掛在東西二宮的宮門口。

康履已死，宋高宗精疲力竭的，搖搖手說道：『你們可以歸寨了吧。』

但是，苗、劉二人殺了王淵、康履之後並不滿意，特別是見了高宗畏畏縮縮，一心一意爲康履護短的模樣更是生氣，他們認爲，宋朝這個腐敗的朝廷，如果不加以改組，前途毫無希望。

所以，苗傅一步向前，大言不遜道：『皇上不當即大位，將來淵聖皇帝（指宋欽宗）來歸，不知何以處？』他們要勒逼高宗退位，作詔傳位於太子，並且請隆祐皇太后暫時聽政。

一聽苗傅要逼高宗退位，大家都呆住了，高宗轉身對朱勝非宰相說：『朕當退避，但是，此事必須稟報太后。』

朱勝非不同意，他說：『無此理也。』

這天，北風強勁，門前沒有簾帷，高宗坐在一張竹椅上，暫時當作御座，因爲已經派人去請太后赴御樓商議，宋高宗便起立，恭敬地站在位子旁邊，雖然百官一再請求，高宗仍不肯復坐，他嘆氣說道：『不當坐此位矣。』

過了一會兒工夫，皇太后乘著黑色竹子製成的簡陋轎子，由四名老宦官攙扶出宮。隆祐太后原姓孟氏，是宋哲宗皇后，爲人賢淑知禮，頗有人望，後來因爲哲宗寵愛劉賢妃，遂廢孟皇后，改立劉氏。

閱讀心得

【第477篇】隆祐太后垂簾聽政。

宋高宗逃到杭州之後，喘氣甫定，就爆發了『苗劉之變』，大將苗傅、劉正彥等人殺掉奸臣王淵、宦官康履，並且逼迫高宗讓位，請出隆祐皇太后垂簾聽政。

隆祐皇太后在四名老宦官攙扶之下，緩緩步出轎子，苗劉二人在轎前叩頭道：『今百姓無辜，肝腦塗地，希望太后爲天下人做一主張。』太后生氣地望著二人：『自從道君皇帝（指徽宗）信任蔡京、王黼，更改祖宗法度，童貫在邊境用事，所以才招致金人，養成今日之禍，和當今上皇帝有何關係？何況皇帝仁孝，開始即位時雖然失德，只是爲黃潛善、汪伯彥二人所誤，如今黃、汪已竄逐，難道你們不知道？』

『臣等已經決定，請太后不要猶豫。』苗傅又磕了一個響頭。

皇太后想了半晌說：『那麼，我暫時聽政。』

可是，苗傅等人群情激昂，非把高宗拉下皇位，改立太子不可。

皇太后長長吁了一口氣，心平氣和的分析：『就算是承平之時，此事尚且不容易，如今皇子只有三歲大，我一個年紀大的老婦人在簾前抱著小嬰兒，怎麼能夠號令天下？假使敵國聞知，豈不是更要看輕我朝，予以欺負？』

苗傅、劉正彥等人哀哀痛哭，一定要求太后答應，太后也非常固執，說不可以就是不可以，並且教訓苗劉：『你們也是名家子孫，怎麼不懂道理，今日之事，實在難以聽從。』

苗傅見老太太軟的不吃，換成硬的，半帶威脅道：『三軍之士，自早上到現在，一口飯也沒吃，事情如果還沒法解決，恐怕會發生不幸的變故。』

接著，苗傅又轉頭詢問在御樓之上的宰相朱勝非：『今日之事，正要大臣果決，你怎麼老不開口？』

朱勝非急得滿頭冷汗，他跪在高宗身前：『臣位居宰相，不料竟然發生這種事，罪該萬死，請求陛下讓臣下樓，當面詰問二兇。』

宋高宗倒是異常冷靜，他用沉穩的語氣安慰朱勝非：『二兇氣焰甚高，卿如果下樓詰問，豈不是白白送死，你死了，朕又該如何？你過來，朕有話告訴你。』

於是，高宗在朱勝非耳邊悄悄叮嚀：『朕今日利害與卿相同，我們應當爲後圖，後圖不成，再死不晚。卿去告訴他們，要朕退位可以，但是朕遜位之後，一切要依太后與嗣君，軍士立刻解甲歸寨，不可肆掠，更不可殺人、放火。』

朱勝非把話帶到之後，苗劉等部衆大呼『天下太平矣』，歡天喜地的散去，一點也沒有想到這是高宗的緩兵之計。王鈞甫便上奏高宗：『皇上不必擔心，此二將忠有餘而學不足耳。』忠有餘是指苗劉出發點是爲國家忠心耿耿，學不足指的是他二人畢竟學識淺薄，處理事情不圓熟。

當天晚上，高宗被迫離開行宮，搬入顯寧寺，改顯寧寺爲睿聖宮，高宗改稱睿聖仁孝皇帝。大赦天下，改建炎三年爲明受元年。

新政府雖然草草成立了，宋高宗內心倒是篤定得很，他不能不暫且先讓一步，萬一被苗劉給殺了太划不來，事實上，高宗看得十分清楚，苗劉二人毛躁火爆，政治經驗不足，雖憑一時血氣之勇，改組了政府，但是新政府的號令僅限於杭州城內，城外群臣，視之爲叛逆組織，張浚、韓世忠、劉光世、張俊正分路討苗劉，其中又以韓世忠最爲強大。

在〈韓世忠活捉方臘〉篇中，我們曾經介紹過韓世忠是少年英雄，風骨偉岸，智勇雙全，方臘藏匿在睦州清溪峒（今浙江省淳安縣）的巖穴之中，沒有人找得著，韓世忠一個人潛行深谷，找了山野之中一婦人帶路，挺戈直前，直擣方臘巢穴，格殺數十人，活捉方臘，大名遠播。

靖康元年，韓世忠又打了漂亮的一仗，他跟隨宣撫李彌大討山東賊，追到了臨淄河，他嚴厲地警告部下：『進則勝，退則死，如果誰敢開溜，後面的隊伍殺掉前面的逃兵。』

這個命令一下，可沒有哪一個敢不盡力，這時，韓世忠的部隊不滿一千人，分爲四隊，可是敵人卻有一萬部衆，雙方開打，一定打不過。

聰明的韓世忠心生一計，他有天晚上，一個人騎著匹快馬跑到了敵營之中，賊人正在殺牛準備打牙祭，韓世忠高聲呼喊：『官軍大批開到了，你們趕快收拾武器投降，我還能保全你們性命，共享功名富貴。』

賊人一聽，嚇得趕緊討饒，並且殷勤地奉上剛剛燙好的酒，切好的牛肉，韓世忠也不客氣，和大夥大塊吃肉，大碗喝酒，風捲殘雲喝個精光，吃得好不痛快。

吃完之後，韓世忠抹一抹油嘴，開始命令賊人繳械，清點人數，一個晚上，所有賊兵乖乖投降，朝廷派了這麼一位勇猛大將率大軍前來，若是不投降，還有第二條路可走嗎？

到了第二天清晨，全部都投降了，賊人等著韓世忠大兵前來，等了半天，根本沒見大批人馬，只有少數精兵，連呼『上當了，上當了』，可是，後悔也來不及了，賊人卻也不能不佩服，韓世忠背後沒有千軍萬馬，竟然敢使這一招，膽子也夠大的了。

閱讀心得

【第478篇】韓世忠巧遇梁紅玉。

宋高宗遷都杭州之後，爆發了『苗劉之變』，苗傅與劉正彥逼迫高宗下臺，而請隆祐皇太后垂簾聽政，高宗暫且退位，一心一意盼著韓世忠等前來救駕。

苗傅當然也想到了這一層，於是，他先下手爲強，把韓世忠的妻子梁紅玉及其子保義郎韓亮捉來，留在軍隊當人質。

說起梁紅玉的大名，可說是無人不知，無人不曉，我們先談談韓世忠與梁紅玉這段情。

韓世忠在沒有發跡之前，家中貧寒，沒有產業，偏偏他又嗜酒豪縱，行爲不加檢點，人家給他取了一個不好聽的外號，叫做潑韓王。

據傳說，韓世忠除了貪杯惹人厭之外，他還生了一種怪病，全身長滿了疥癩，發出酸腐惡臭的氣味，人人都掩著鼻避著韓世忠。

有一個夏日午後，韓世忠在一條小溪中游泳，忽然看到一條巨蟒直往前來，準備狠狠嚙住韓世忠的腦袋，韓世忠大窘，不知如何是好，兩隻手緊緊握著巨蟒的兩頜，巨蟒用尾巴繞著韓世忠的身體，雙方僵持不下，於是，韓世忠就與巨蟒以如此奇怪的纏繞著的方式，回到家中。

韓家的人目睹此一奇景，都嚇得大呼大叫，韓世忠喊著：『快啊，快

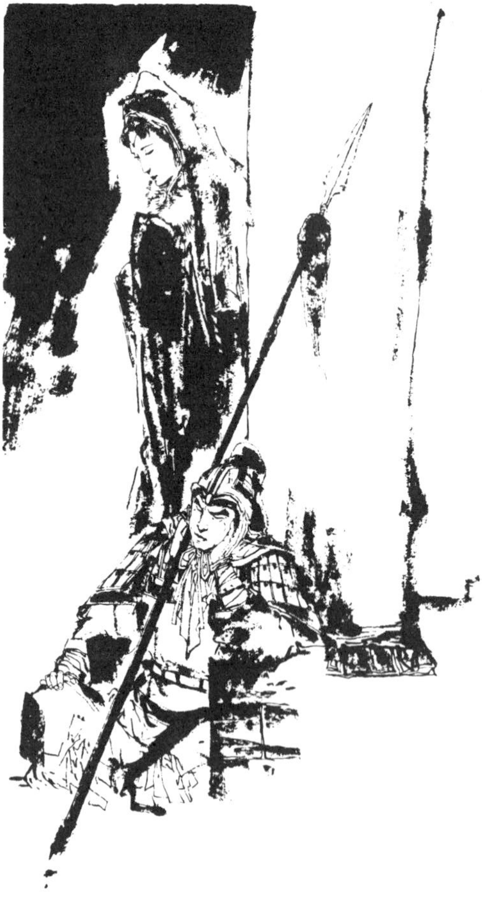

來幫忙把蛇給殺了！』卻沒人敢向前。

韓世忠逼不得已，拉著巨蟒來到廚房，只見案頭上有一把菜刀，他拿了刀往巨蟒頭上猛砍，巨蟒終於死了。

人蛇相鬥，韓世忠雖然打敗了巨蟒，還是一肚子的火，他順手把巨蟒滑溜溜的蛇皮剝去，扔到鍋子裡清燉，略撒薑末。過了一會兒，香味撲鼻而來，湯汁是清清淡淡，卻又鮮美絕倫，簡直比現殺活魚更要精采。韓世忠捧著大碗，吃得乾乾淨淨。

到了第二天早上醒來，韓世忠全身疥癩全部脫去，肌膚瑩白如玉，眞是了不得的換膚術。

因爲有此傳說，當時人盛傳韓世忠是蛇精轉世，理由是韓世忠與蛇一般，每次騎馬出郊，總喜歡坐在淺草濕泥之中，說起話來，語調急切，聲如洪鐘，講不了多久，還要吐一吐舌頭，這不是蛇精是什麼？

也許因爲韓世忠太神奇了，宋朝人不但傳說他是蛇精，也有人以爲他是老虎，據宋朝《鶴林玉露》記載，韓世忠夫人梁紅玉本是京口娼妓，曾經有一天夜晚五更入府伺候客人，忽然見到廟柱之下，怎麼有隻大老虎，鼻息齁齁，可怕極了，嚇得轉身就跑。

跑了許久，見到一大群人，才悄悄喘息，她拉了衆人去看老虎，卻發現哪裡有什麼老虎，只有一個士兵在打瞌睡，一問之下，士兵名爲韓世忠。

梁紅玉回去密告她的鴇母，兩人商量的結果，這個韓世忠絕非凡夫俗子。於是，梁紅玉主動邀請韓世忠到家中，搬出酒食殷勤招待，韓世忠當然也樂得享受飛來艷福，兩人遂結為夫婦。

根據此段記載，遂渲染誇大成為平劇中的名戲——『玉玲瓏』。

玉玲瓏的大意是這樣的；梁紅玉幼年，溷跡在煙花隊中，為京口的紅牌妓女，她長得是眼如秋水眉橫黛，杏臉桃腮楊柳腰，非常受官兵們的歡迎，每個衙署中有宴會，梁紅玉總要前去侑酒。

有一天，梁紅玉又循例去陪酒，準備去伺候軍營中的主帥，突然遠遠望見一隻黑老虎蹲踞營門，嚇了一大跳，等到走近一看，原來是個巡更小卒（名叫韓世忠）。

梁紅玉好奇問起韓世忠身世，世忠告訴她：『俺，韓世忠，乃延安人氏，自幼父母雙亡，來在淮安投軍，當了一名步兵，今當朔日，元帥謁廟之期，命俺巡更守夜，看天氣尚早，不免在此打睡一時，呵呵呵。』

梁紅玉見這個被自己誤以爲老虎的男子，體格雄偉，眉清目秀，心中暗喜，就含羞地對鴇母道：『我說媽呀，你看他雖是一個兵，他生得相貌非常，日後定要大富大貴！我不免，將終身許配給他。』

鴇母取笑了梁紅玉一陣，但也認爲韓世忠相貌特殊，也許日後有所發展，於是鴇母便大刺刺地對韓世忠說：『我女兒看上了你，她想要嫁你。』

韓世忠先是『嗳呀！』嚇了一大跳，繼而轉念一想：『看此女，雖在煙花，卻端莊得很，想我韓世忠，舉目無親，若得此人相助，倒也多了一條膀臂。』

於是，兩人回了妓院，隨即結婚。

當天，妓女與更夫，雙雙失蹤，主帥發現這件事，大發雷霆，以爲是營卒把妓女挾持而去，犯下軍規，應該問斬，立刻派人把韓世忠與梁紅玉綁來，以正其罪。

誰知，梁紅玉絲毫不畏懼，她引經據典，侃侃而談，舉出許多古代大臣風流佳話，做爲印證，把主帥逗得哈哈大笑，饒過兩人。剛巧，金兵犯境，便命韓世忠將功折罪。『玉玲瓏』這場戲就在鑼鼓喧天之中下場了。

玉玲瓏是齣戲，到底韓世忠與梁紅玉如何邂逅，怎麼一見鍾情，這只有他兩人知道，後人只是胡亂猜測罷了，不過，有一點可以確定，韓梁成親，必然是韓世忠尚未發跡之前，因爲宋朝的社會保守，階級門第相當嚴格，宋朝的官吏不可能娶一妓女爲正式夫人的。

閱讀心得

【第479篇】

隆祐太后會見梁紅玉。

苗劉之變爆發後，韓世忠與張浚在平江（今江蘇省吳縣）商討大局，張浚是唐朝名相張九齡的弟弟張九皐之後代，張浚四歲喪父，孤苦零丁，後來入太學就讀，考中進士，官至御史。

韓世忠與張浚談到高宗被迫退位，中樞無主，竟由三歲皇子爲帝，忍不住嚎啕大哭，韓世忠舉起一杯酒在神像前起誓：『我絕不與此賊共戴天！』

他兩人雖然氣得心臟都要迸裂，卻因爲高宗畢竟仍在杭州，身陷敵人之手，深恐投鼠忌器，誤了大事。於是粗中有細的韓世忠先進兵秀州（今浙江嘉興縣）造雲梯、冶器械。苗劉等人聽說韓世忠在秀州，準備有所行動，遂下令把梁紅玉及其子韓亮捉回來當人質。

表面上歸順苗劉，骨子裡卻忠於高宗的宰相朱勝非得到消息，非常緊張，他急中生智，跑去告訴苗傅：『你們眞糊塗，怎麼可以把韓夫人抓來，惹怒韓世忠，爲什麼不派韓夫人赴秀州勞軍，以示和好？』

苗傅說：『對啊，我怎麼沒有想到。』

朱勝非心中暗笑：『二兇果然學不足，容易上當。』

苗傅立刻有請梁紅玉，直直地跪在地上，說了一大堆奉承的話，再三

鄭重表示：『日後當好好侍奉大哥大嫂。』梁紅玉也假惺惺的演了一場戲。苗傅爲了拉攏梁紅玉，甚至要隆祐太后封梁紅玉爲安國夫人。

隆祐太后是一個老老實實，安分守己的賢淑婦人，她沒有武則天的政治野心，只想平平靜靜度過晚年，她會垂簾聽政，完全是被苗劉打鴨子上架給逼的，而且內心頗爲不安。

太后一看到梁紅玉那俊俏的模樣，忍不住打心眼裡歡喜，也顧不得萬一梁紅玉向苗劉密告，她這老太太的日子就難過了，她流著眼淚，親切地握著梁紅玉的手說：『國家艱危，希望太尉（指韓世忠）儘速前來救駕。』她拿著手絹擦一擦眼睛，又擤一擤鼻子：『你一定要告訴太尉趕快來。』

梁紅玉雖是青樓出身的軍妓，卻深明國家大義，更深深爲太后的一片慈愛所感動，她紅著眼圈再三向太后保證：『我一定會圓滿完成任務。』

第二天一大早，梁紅玉便以安國夫人『出城慰勞韓軍，以示和好』的名義，出了杭州城，走到一半，忽然遇到苗傅的弟弟苗翊。

苗翊好生奇怪，梁紅玉不是被軟禁起來當人質嗎？怎麼騎著馬在郊外亂跑，連忙攔住梁紅玉，梁紅玉少不得費了番口舌解釋清楚。

『噢，原來是這麼一回事。』苗翊聽到眼睛不斷亂眨，手不停扯耳朵，臉色大變。

事實上，苗劉把人質放走，讓他們夫妻團聚，不能不說有點兒蠢，王鈞甫形容苗劉『忠有餘而學不足』眞是不錯。梁紅玉看苗翊擠眉弄眼的模樣，直覺不妙，萬一苗翊報告苗傅，或是苗劉茅塞頓開，把她給截了回去，那該怎麼辦？想到這裡，梁紅玉猛揮馬鞭，一天一夜之間趕到秀州，夫妻相見，恍如隔世，不勝唏噓。

由於梁紅玉的任務是出城慰勞，以示雙方友好，不一會兒，苗傅派人送來詔書，韓世忠接過詔書，看也沒看，當場撕個粉碎，他生氣地說：『我一向只知道建炎，從來不知道有明受（明受是苗劉政變，改高宗建炎三年爲明受元年）。』

送詔書來的使者，也被韓世忠下令，給推出去斬了。

除了韓世忠，苗劉也在收買張浚，張浚的脾氣之烈，不亞於韓世忠，他回了一個報告給苗劉：『自古以來，對君主有所不遜，叫做震驚宮闕，事關廢立，謂之大逆不道，大逆不道的罪名是誅九族，你們知道嗎？』

苗劉聽說韓世忠把送詔書的使者殺了，立刻解除韓世忠節度使的官職。然後，又以張浚『欲危害社稷』爲名，貶謫鄂州。

韓世忠爲一代名將，武功高強，一般人近不了身，張浚乃一介書生，應該比較容易對付。苗劉貼出告示，重金懸賞張浚頭顱。

有天夜晚，張浚正一個人在燭光下看書，忽然間，窗下站著一個彪形大漢，手中提著亮亮晃晃的刺刀，張浚心忖，該來的，總是會來的，他自自然然，一點也不帶恐懼的問道：『來人可是苗傅、劉正彥派來殺我的刺客？』

『不錯。』

張浚不緩不急地說：『那麼，你把我的頭帶走吧！』

『哈哈哈，』大漢仰天大笑：『佩服，佩服，在下讀過幾天詩書，豈會被賊人所用，我只是來警告你，你的戒備不嚴，下回還有別人來取頭。』張浚急著搬出金帛相贈，大漢搖手婉拒：『你可知如果我貪財，你這顆頭值多少？』說罷，大漢一抱拳，攝衣登屋，屋瓦無聲，一下子不見蹤影。

第二天，張浚擔心大漢沒有完成任務會受責罰，他自監獄提出一個死囚，在市場問斬，宣佈罪名是『苗劉昨夜派來的刺客』。以後，張浚本著記憶中的容貌，明察暗訪，人海茫茫中，卻再也見不到俠義的神祕大漢。

閱讀心得

【第480篇】

韓世忠救駕。

韓世忠撕碎苗傅、劉正彥的詔書以後，積極進兵，他與呂頤浩、張浚向杭州開拔。

苗傅等人自恃有重兵阻擋，當無問題。苗翊等人又在河中放置鹿角，阻止舟船行進。

韓世忠一怒之下，改走陸路，可是道路泥濘，馬又跑不快，韓世忠下得馬來，命令將士：『今日各以死報國，若是哪一個臉上不帶幾箭的，立刻斬首。』

韓世忠一向軍令如山，賞罰分明，部下對他是又愛又怕。平常韓世忠與部下是打成一片，尤其喜歡召集軍佐，痛快暢飲，而且用的是大號巨觥盛酒，同時一律不許準備下酒的果肴。

有一次，一位軍佐王權，偷偷藏了一截蘿蔔下酒，韓世忠看了，大爲生氣，一把將蘿蔔搶了過來，口中罵著：『你小子如此口饞？』一面用手緊緊按著王權的額頭，疼得王權要喊救命。

韓世忠之所以不許部下貪嘴，因爲宋朝軍紀太壞，有些官兵簡直與強盜無二，老百姓都敢怒不敢言。可是韓世忠軍律嚴嚴整整，沒有哪個有膽去掠奪百姓，所以大軍所過之處，不但秋毫無犯，農夫都荷著鋤頭在田裡

揮手打招呼。

言歸正傳，韓世忠頒下命令，面上不帶幾箭者斬，他若是說了斬，就一定眞的會殺人，可不是說著玩的。於是將士們個個奮勇殺敵。

苗劉的陣列一字排開，拉滿了弓等待著韓軍開到。等到韓世忠眞的來了，只見韓世忠睜著銅鈴般的牛眼睛，破口大罵，挺刃突前，把苗劉的軍隊給嚇壞了，還來不及射矢，轉身而逃。

當韓世忠兵入城門，苗傅、劉正彥自知不是對手，逃之夭夭。宋高宗親自來到城門門口迎接，他見到韓世忠，彷彿像迷了路的小娃娃找到媽媽一般，喜極而泣：『你，你終於來了。』

接著，高宗馬上像小孩一樣，哭訴著告狀：『中軍吳湛對朕最爲不遜，能不能先把他殺掉？』

那還有什麼問題嗎？韓世忠立刻找到吳湛，握手寒暄：『你好。』『你好，幸會！』吳湛也熱情伸出手，突然吳湛大叫『媽呀！』『疼死我了！』

原來韓世忠故意處罰吳湛，他大力一握，竟然把吳湛的中指給折了下來，鮮血淋漓，好不怕人，高宗知道了，龍心大悅。

平日囂張跋扈的吳湛，這下遇到剋星了，想高宗自從被逼下臺，退居顯寧寺，虎落平陽被犬欺，簡直受夠了窩囊氣。吳湛被折斷一根手指以後，已經面無人色，韓世忠又把吳湛押解到市場就戮，算是為高宗出了一口氣。

宋高宗即下詔授韓世忠為武勝軍節度使，御營左軍都統制，韓世忠謝恩之後請求高宗：『賊人擁有精兵，距離甌閩甚近，臣請求生擒賊人，為社稷雪恥。』

『好！』高宗眉開眼笑的答應。

韓世忠立刻帶領兵馬，沿著苗劉逃走的方向追去，從浙江追到福建，在浦城縣的魚梁驛把苗劉的潰軍重重包圍起來，當苗軍哨兵見到韓世忠挺戈向前，彷彿見了鬼一般，驚呼：『天啊，韓將軍真的來了。』

韓世忠先捉住了劉正彥和苗傅的弟弟苗翊，苗傅到建陽，被當地的流氓逮著，獻給韓世忠請賞，韓世忠把苗劉打入囚車，像動物園大搬家一般，高奏凱歌回杭州。

建炎三年七月，苗傅、苗翊、劉正彥在都堂會審，接著斬首。

苗劉之變，終於平定，前後不過一個月，對宋高宗而言，彷彿揮過一個世紀般漫長。

他對韓世忠、呂頤浩、張浚再三慰問，並且回憶道：『記得那時候朕被廢，兩宮隔絕，一日正在吃羹，忽然聽說張浚得罪苗劉，被貶鄂州（請參考上篇），我心一慌，羹全灑在手上，你們看看。』說著，高宗伸出手，果然被燙傷的青紫瘢痕還在。

高宗又對張浚說：『我當時被燙傷了，卻毫無感覺，心中只在擔心，你若被貶，誰來救朕，皇太后也知你忠義，希望看看你，你去見太后吧。』

同時高宗把御服上的玉帶解下賜給張浚。

隆祐太后除了想見張浚，當然更想看一見如故的梁紅玉，以及她那不凡的英雄夫婿韓世忠。這會兒，韓世忠的官銜可不得了，因爲苗劉之變，升爲『檢校少保，御前右軍都統制，武勝、昭慶軍節度使』，高宗親筆寫『忠勇』二字做爲旗幟，又封梁紅玉爲護國夫人，給内中俸，功臣妻子給俸，梁紅玉可是第一人。

苗劉之變平定，高宗心中對韓世忠雖然十分感激，卻也浮起了懼怕猜疑的矛盾心理，因爲高宗雖貴爲天子，一條命卻捏在手握軍權的大將手中，萬一大將有了二心，那皇位也就岌岌可危了。

因此，寫得一手好書法的宋高宗特別手書『郭子儀傳』與韓世忠，『裴度傳』給張浚，他爲什麼挑郭子儀與裴度兩人，是有用意的，有興趣的讀者請參考本書前面講過的唐朝的郭子儀和裴度的故事，細細玩味，你會了解宋高宗的用心。

閱讀心得

【第481篇】金兀朮追擊宋高宗。

經過了一場驚天動地的苗劉之變，宋高宗差一點兒丟掉了皇帝的寶座，總算在韓世忠等人全力保駕中，風平浪靜。這次政變爲時前後僅有一個月，但是，對於南宋的新政權已是元氣大傷。

金人屬於女眞族，原居地是在今日東北地區，他們生長在白山黑水（白是指長白山，黑是指混同江）之間，由於環境的關係，養成了耐寒忍飢的本領。他們一個個都有精湛的馬上功夫，不但可以騎著快馬上下岩壁，健騎如飛，甚且過江也不用舟楫，能夠浮馬而渡。

通常，矯捷的金人如果發現了野獸，他不會力搏，也不會落荒而逃，他們會輕手躡足的偷偷跟在野獸身後，找到野獸藏匿之所，然後一網打盡。

此外，金人還有一項特殊技能，他們懂得如何剝下樺樹的樹皮捲成一個號角，撮在口邊，發出呦呦之聲，與麋鹿的叫聲完全一樣。每次金人輕輕一吹，總能呼喚一群上當的麋鹿，予以射殺，由於金人有此門絕活，漢人稱金人爲『鹿人』。宋朝人重文輕武，弱不禁風，面對金人所擁有的這套輕功與本領，雙方開戰，自然只有等著挨打了。

宋高宗在狼狽地逃離揚州以後，他曾經派遣閤門祇侯劉俊民、修武郎宋汝爲特使，渡江與金朝大將粘罕相聯絡，並且攜帶張邦昌與金人簽約的

底稿，表示自知不敵，願意投降金人。

宋高宗自即位以來，一直都在沒命似地逃跑，筋疲力盡，毫無鬥志，因此，他的信寫得異常謙卑，連『大宋皇帝』四個字都不敢用，而是自稱爲『宋皇帝趙構』，他在信中用小媳婦般的口吻說：『古之有國家而迫於危亡者，只有防守與出奔兩個辦法，我現在是守則無人，奔則無地，所以希望閣下能夠哀憐，我願意取消皇帝的尊號，舉凡天地之間皆是大金之國，大金又何必勞師遠征呢？』

宋朝如此謙卑恭謹，委曲求全，結果交涉沒有達成，金人益發看不起宋朝。

其實，金將粘罕倒不失爲一個講理之人；當金兵在山東，連陷東平、濟南、泰安，其中有士兵挖掘曲阜孔老夫子的墓穴，粘罕不知道孔子是何許人也，他問通事高慶裔說：『孔子何人？』（通事是翻譯官）

『孔老夫子是古代的大聖人。』

『大聖人的墓豈可以隨便挖掘？』

於是，那位挖墓軍士的腦袋就給搬了家。

粘罕算是金朝將領之中，比較溫和的一個，若是論到少壯派的猛將兀朮，那可不一樣了。

兀朮，本名斡啜，亦作斡出，漢名爲宗弼，他是金朝的四太子，由於《說岳》一書的流傳，大家對金兀朮可說是萬分熟悉，在《說岳》一書問世之前，金兀朮的威名，已與岳飛並稱，據說，在南宋後期，民間流傳一首民謠：『金國有四太子（兀朮），我朝有岳少保（岳飛），金兵有狼牙棒，我朝有天靈蓋。』意思是只有等著挨打。

曾經有一個宋朝人，他名叫酈瓊，原來是宗澤部下，後來降金，歸入兀朮旗下，酈瓊比較兩朝將領之不同：『瓊嘗跟從大軍南伐，每每見到元帥國王（指兀朮）親臨督戰，儘管矢石交集，連甲冑都不穿，意氣自若指揮三軍，用兵技術之妙，可以與孫吳兵法不謀而合，眞是命世雄才也。至於南宋的將領，論其才能，不過是中等人才，而每回打仗都是躲在數百里之外，說得好聽，稱之爲老成持重，怎能不打敗仗呢？』

酈瓊已投降金人，不免要講一些肉麻拍馬之話，博取金人的好感，不過，他所說的，確也是實情，正因爲宋朝大將多半膽小如鼠，意氣風發的金兀朮相當看不起宋朝，因此兀朮於建炎三年，上書金太宗指責宋人偽裝和平，蓄意反攻，要求再次南征，金太宗答應了這項請求，兀朮兵分兩路，大舉殺來。

金兀朮固然是銳利勇猛，宋朝也是過分的差勁，當金兵自江寧，取廣德，過獨松關時，竟然發現獨松關連一個守衛的兵都沒有，由於獨松關是個天險，金兀朮在輕鬆過關之後，不免嘆口氣對屬下說：『南朝如果能放數百人駐紮在此，我們哪裡過得去呢？』

宋高宗此刻眞是淚簌簌，他不安地搓著手問呂頤浩說：『事情日漸急迫了，怎麼辦？』

呂頤浩倒是比較鎮靜，他沉著地分析道：『陛下切莫憂心，敵人以騎兵取勝，利於陸戰，不善於乘舟，浙江面臨大海，我們不如逃到海裡去，金人就沒可奈何了，加上浙江氣候潮濕炎熱，北來的人最怕暑熱，無法久留，等到敵人撤兵，我們可以再回來，彼入我出，彼出我入，此正兵家奇計也。』

高宗沉吟了半天道：『這個主意倒是不錯。』事實上也沒有其他法子可想。於是高宗先往越州（浙江紹興），再逃往明州（浙江寧波），又乘船到舟山群島中的定海縣，復自定海奔昌國（浙江昌國縣），自昌國奔臺州（浙江天臺縣），又自臺州到了溫州，金兀朮追不及而返，自建炎三年十一月到建炎四年正月，前後三個月的工夫，高宗是一路苦苦的逃命，金兀朮是苦苦的窮追不捨，虧得中國的海岸線很長，高宗又跑得快，否則就要被金人逮住了。

閱讀心得

【第482篇】

杜充降金。

宋高宗建炎三年，金兵大舉入侵，宋高宗又開始逃難，敵軍節節進逼，宋兵連連敗退，虧得岳飛拚了死命，才把金兀朮的兵力，逐步向北逼退到常州（江蘇武進）以北，並且收復了廣德、溧陽、常州等地，這都是岳家軍建立的赫赫功績。

提起岳家軍的建立，其中有一段辛酸的血淚史：

自從岳飛在汴京打了一場大勝仗，宗澤去世後的眞空現象立刻獲得改善。但是岳飛的長官杜充不願意留在京師，他要前往建康（南京），他的理由相當動聽，由於朝廷發生了苗劉之變，他不能不前去勤王（勤王的意思是以兵力救援王室）。

岳飛見杜充準備撤兵，苦苦哀求道：『中原之地，一尺一寸都不可放棄，今日我們的雙脚一離開此地，他日若要光復，非數十萬大軍不可。』這些話，杜充是半句也聽不進去，岳飛哀求了半天，沒有獲准，但是，軍人以服從爲天職，他也不能不跟著開拔，渡江來到建康，至於京師汴梁的爛攤子，杜充順手扔給了蔡州知州程昌禹接管。

杜充到達建康，杭州的苗劉之變已經平定，高宗便命令杜充留守建康，屏障江南，並且任命他爲江淮宣撫使。高宗一向信任杜充，可是劉光世、

韓世忠等大將卻十二萬分不樂意擔任杜充部屬，因為杜充完全沒有制敵的方法，每日專門誅殺無辜百姓，有識之士都為朝廷專用這種小人而寒心。

杜充率岳飛離開汴京之後，蔡州知州程昌禹不想再接這個燙手山芋，他藉口糧餉不足，悄悄帶著兵馬回到蔡州。本來就岌岌可危的京師，如今成為三不管地帶，金人當然輕輕鬆鬆取下汴京。

金朝此次南侵的大將是兀朮，他是個勇猛積極的少壯派，一會兒工夫，奪下了洪州（江西省南昌市）沿著鄱陽大燒大殺，另外一股金兵則取下盧州（今安徽省合肥縣），於是乎，建康就像被一把利鉗呈半弧形的包圍。而杜充呢，若無其事閒坐家中。

岳飛可著急了，他前去拜見杜充，流著眼淚懇求：『今日大敵當前，馬上就要渡過長江，你怎麼還安然不動坐在這裡，還不趕快起來主持大計？萬一敵人看出我們的懈怠，發動猛烈的攻勢，將士們群龍無首，該怎麼辦呢？』

『明天吧，我明天會出來。』杜充永遠用明天敷衍著。

某日白天裡，金人對江佈陣列隊，然後又全部撤退，其實這是假撤退。但是，防守的宋軍卻益發鬆懈，當天晚上，金人乘數十巨舟橫江而來，宋軍不能抵抗，全線潰敗，岳飛也獨力不支，暫時撤退到廣德（安徽省廣德縣）。

一直隱居在家中逍遙的杜充接到了消息，馬上逃命，一口氣逃到了眞州（江蘇省儀徵縣），藏到長蘆寺中，希望能靠菩薩保佑，躲過一劫。不多時，金軍入據建康，搜不到杜充，一問之下，敢情躲到廟裡去了，暗暗好笑。

金兀朮是何等聰明之人，他早已看出杜充殘忍貪暴，是個殺人魔王，卻又膽小如鼠，絕不會忠心於宋朝。金兀朮就找了唐佐寫封信到長蘆寺，規勸杜充投降。唐佐原是宋朝的京畿提刑，與杜充是酒肉朋友，臭味相投，已搶先一步歸降金人。

杜充接到唐佐的來信，不免對唐佐安享榮華富貴十分羨慕，相較之下，自己窩在一間破廟裡擔心害怕，實在太委屈太可憐了。

正在羨慕唐佐之時，金朝更派了專使前來，專使巴結地說：『如果你願意投降我朝，我朝當封以中原之地，如同過去的張邦昌一樣。』

金朝開出的條件，誘惑太大了，想想，張邦昌雖是個傀儡皇帝，畢竟是南面爲王，杜充大喜過望，立刻來到建康，跪在金兀朮的馬前，投降金朝。

宋高宗接到消息，十分懊惱，他頻頻對左右道：『奇怪，朕待杜充不薄啊，他爲什麼要做這種事？』其實，杜充投降，是遲早的事，明眼人都看得出來，以前提刑郭永就諷刺過杜充是『人有志而無才，好名而無實，驕傲自大而獲得聲名。』偏偏高宗就喜歡用他爲親信。

讓我們再回頭看建康的宋軍：大將王瓔，帶著部下開溜了，戚方率著自己部隊去當強盜了，最糟糕的消息是杜充居然獻出建康府庫，全家投降金人了，眞是屋漏偏逢連夜雨。全軍士氣低落，亂成一團，大家鬧哄哄地，有人在低聲商量該不該跟著去降金，也有人破口大罵杜充混帳。

岳飛勉強抑住怒氣，登高一呼道：『各位弟兄，現在正是各位為朝廷建立奇功，收復失土，接受上賞，榮歸故鄉的最好時刻，你們必須馬上放棄降敵求全的謬誤觀念，我才會與你們共患難，同生死，除非你們把我殺了，否則，我絕不可能與你們一塊降敵的！』

岳飛聲如洪鐘，激昂慷慨，一副少年英豪的氣概，他的一番話，挑起了人們心中對國家的熱情，事實上，每個人都不真心願意投降金人，只是在情勢混亂之際，需要有強有力的人出來當領袖，帶領大家。於是眾人振臂高呼：『岳統制，我們一切聽你的！』

於是，歷史上名垂千古的岳家軍正式成立了。

閱讀心得

【第483篇】

軍紀嚴明的岳家軍。

杜充投降金人以後，岳飛登高一呼，號召不願舉白旗的宋軍，成立了岳家軍。

此刻，金兀朮的大軍正要開往杭州，岳飛在廣德境中予以迎頭痛擊，六戰六勝，打了一場漂亮的勝仗，並且俘虜金朝大將王權。

當岳家軍駐紮在鍾村之時，糧食吃完了，可是岳飛有令，不許騷擾民家，兵士們只好乖乖的挨餓，由於岳家軍軍紀嚴明，金兵都尊稱岳飛爲『岳爺爺』。

南宋初年，一般軍紀敗壞，不能作戰，是國家的一大隱憂。譬如大將張俊從明州（今浙江鄞縣）帶軍赴溫州，沿途之中，打家劫舍，道路之上連一隻雞、一條狗也被士兵捉了打牙祭，居民們怕透了官軍，聽說官兵前來，一窩蜂的全部逃往山谷，數百里間，看不到一點兒人煙。

韓世忠雖爲一代名將，有的部下也缺乏紀律，當韓世忠逗留在秀州之時，整個浙江爲之騷動，竟然有將領跑到縣府衙門裡，把縣太爺五花大綁，逼著交出錢來。

至於原來是杜充的部下，後來當了逃兵的王瓊更過分，他前往閩縣途中，一路之上的州縣都要孝敬，否則便要大燒大搶，簡直是勒索。

除了動手搶錢以外，這些官軍還要人，宰相呂頤浩曾經上奏高宗：『官軍所到之處，爭取金帛之罪猶小，劫掠婦女之罪至深。』

在這種官軍姦殺擄掠，無所不爲的情況下，有些百姓對官軍的恐懼，甚且超過對金人、盜賊的害怕，岳飛看在眼中，眞是有說不出的難受，因此，岳家軍成立以後，第一條規矩就是嚴整紀律。

岳飛規定，凡岳家軍，不論在任何狀況之下，不准進入民居，即使是外面颳大風、飄大雪，也只能在屋簷下休息，就算民衆開了門，請士兵進去，士兵也一定不會踏入大門。

有一回，岳家軍經過某個小鎭，岳飛飯後，一個人到附近走走逛逛，了解地形，忽然，他發現一間茅草屋，其中有一塊地方損壞得相當明顯。

岳飛立刻請問屋主人道：『對不起，請問你，這兒少了一束茅草，是不是被我軍中的士兵拿走了？』

『哪有的事，岳家軍對本鎭沒有一絲一毫的擾亂，這一塊殘缺之處，本來就是這樣，反正對房子本身也沒有損壞嘛，我因爲懶，也就一直沒有修補。』屋主人滿面笑容的再三解釋。

可是，岳飛不相信，因爲老實的鄉下人即或吃了虧，也不敢得罪官軍，岳飛正色地說：『你這棟茅屋明明是剛蓋好的，草都是新鮮的，怎會莫名其妙缺了一塊，我一定要查個清楚。』

過了不久，有個士兵前來自首，他誠惶誠恐地說：『我方才下馬飲食，把馬韁繫在屋椽上，後來，匆匆忙忙去解馬，不小心扯下一束稻草，絕不是故意擾民。』

屋主人也趕忙在旁陪笑道：『對對，正是這樣，他也不是存心的。』大家都以爲這件事就此告一個段落，不料，岳飛爲了殺雞儆猴，居然立刻把偷茅草的士兵就地正法。

消息傳出，岳家軍人人警惕，也就更加小心翼翼，免得受到軍法制裁。岳家軍上上下下的信條是：『凍殺不拆屋，餓殺不打鹵。』這句話的意思是，岳家軍就是凍死了，也不拆民衆的屋子當柴燒，即或餓死了，也不能擄掠人民。在這樣的共識之下，岳家軍曾經自池州（今安徽貴池）進兵到潭州（今湖南長沙），一路之上，人民竟不知有軍旅經過，可見紀律之嚴整。

在嚴整的紀律之外，岳飛待士兵是非常的親愛，士卒生了病，岳飛親自調藥，諸將上戰場，岳飛派妻子到軍眷中慰勞，不幸在戰場上捐軀，岳飛必想辦法撫育其孤兒。《說岳》一書雖是小說，但是人們所熟悉的張憲、王貴、牛臯都確有其人，也都與岳飛有濃厚的袍澤深情。

岳飛治軍，不但是恩威並用，寬猛共濟，他更要求岳家軍甘苦共嘗。岳飛本人是岳家軍最高統帥，但是他常刻意挑選軍中最低的士兵同桌吃飯，大家一律平等，有什麼吃什麼。

難得軍隊裡打牙祭，有酒有肉，一定每個人都能嘗到肉味，哪怕是一分再分，酒也是一樣，酒裡對上開水，人人一小啜解解饞。

倘若軍隊到外面操練演習，縱使有設備一流，招待親切的旅店，岳飛還是堅持與士兵一般，紮營在外，餐風露宿。

由於岳飛待部下有恩有威，士兵對他是又愛又怕，岳家軍才能成爲中國歷史上著名的一支隊伍。

閱讀心得

【第484篇】韓世忠施巧計。

南宋初年，金兀朮發動大規模的侵略，宋朝宰相呂頤浩安慰高宗，切莫太驚慌，因爲『敵人必不久留』，只要脚底抹油，小心不要被逮著便可。

果然，不出呂頤浩所料，原來，金人是準備一鼓作氣，下海活抓宋高宗，消滅南宋。誰知中國的海岸線太長地方太大，金兵孤軍深入，長途遠征，辛苦萬分。

再說，宋朝的軍隊雖然脆弱，但是，宋朝的民族精神教育卻是頂呱呱一流的，不斷有軍民起而反抗。

譬如，建炎四年，金兵攻破建康以後，沿江都制置使陳邦光老早就備妥了投降書，派人拿到十里亭交給金人獻媚了。

金兀朮見到投降書大爲驚喜：『金陵用不著派兵攻擊，大事成矣，哈哈哈！』

等到金兀朮威風八面進入建康，陳邦光親率官吏出門迎拜，但是奏議郎楊邦乂不肯下拜，他在自己的衣服上寫了幾個大字：『寧作趙氏鬼，不爲他邦臣。』

接著，金兀朮、陳邦光等舉行大規模的慶功宴，當音樂悠揚地響起，金兀朮突然想到了不肯下拜的楊邦乂，把他喚到面前，站在堂下聽訓。

楊邦乂先是不理不睬，裝聾作啞，然後他不勝悲憤，遙遙地對著金兀朮破口大罵，金兀朮氣壞了，當場派人把楊邦乂給殺了，剖腹取心，楊邦乂死時只有四十四歲，正當盛年。

類似楊邦乂的忠臣還有不少，頗讓金兀朮傷腦筋。尤其，宋朝官軍雖然不堪一擊，老百姓卻同仇敵愾，異常地堅強。金兵在苦苦追趕宋高宗途中，遭到許多地方軍的突擊，尤其在浙江的桐廬，被當地民兵殺個出其不意，死傷甚多。從此，每次行軍之前，都要派出先頭部隊，肅清道路，才敢前進，可是，遠來之人，到了一個陌生地帶，總是不容易摸清地形。在天時、地利、人和樣樣不能配合的情形之下，金兵決定打退堂鼓了。

同時，金人的數目有限，中國的幅員廣大，金兀朮知道，中原地帶尚且不易消化，要想一口氣併吞中國，等於是小蛇吞象，太困難了。

於是，金兀朮自稱『搜山檢海』完畢，準備打道回府，既然山裡海裡的寶物都搜羅檢取完畢，金兀朮遂下令：『援焚燒揚州的例子，把明州燒得一乾二淨。』只有明州東南角幾座佛寺，金人也許是害怕觸犯神靈沒有焚成焦土，到了蘇州，金兀朮又燒殺劫掠，算一算，他大概已殺了五十萬百姓。

可是，到了鎮江，金兀朮可碰到了勁敵了，因爲，韓世忠早已在鎮江守候多時了，他等著找金兀朮算個總帳。

想當初，金兀朮開始揮軍江南之時，韓世忠眼見金兵勢如破竹，輕而易舉攻下建康，自知不敵，但又不願意把鎮江拱手讓給敵人，所以，先用一把火把鎮江燒成一片焦土，讓金人得不到半點好處，徒然佔領了一座空城。可是，這把火一燒，百姓遭受到極大的損失，韓世忠心裡眞是有說不出的歉疚，爲了彌補此份自責，他一直盼望有一天能夠再會會金兀朮。現在，機會來了，金兀朮要撤兵，非經過鎮江不可，韓世忠遂佈下了天羅地網。

韓家軍駐紮在長江江心中的焦山，是座孤島，韓世忠在江中佈置了百餘艘巨舟，形成一字排開的長蛇陣線，金兀朮如果要過江，就得要先突破這道頑強的封鎖線。

在焦山旁邊，還有一座金山，也是橫亙江中，所不同的是，金山距離岸邊比較近，金山山上有一座龍王廟，可以鳥瞰全局。

因此，根據韓世忠的推斷，當金人過不了焦山，必然會攀登金山龍王廟，於是，他撥了兩百名精兵埋伏在廟中，再派兩百名健卒，躲在廟外草叢裡，他下令：『聞江中鼓聲爲訊號，弟兄們，大家裡應外合，共捉敵酋。』

果然，當金兵前進至焦山被阻不久，只見五匹快馬如旋風一般奔向金山山頂，進入龍王廟之中，在廟中埋伏的士兵，一見來了五位穿戴威武、大模大樣的高級將領，後面還有幾百名番兵，遠遠跟隨著，暗暗喝采道：『元帥眞個是料事如神。』

因爲太興奮了，也不待江中鼓聲，廟中士兵便動手了，也一哄而出殺將起來，五名金將一見有埋伏，立刻撥馬便走，有兩個來不及跨馬的金將，當場被活抓，逃走的三個之中，其中一人身著紅袍玉帶，座馬失足，連人摔下，旋即躍身上馬，揮鞭疾馳，逃下金山，跳上了早先準備好的渡船，落荒而逃。

在廟外接應的士兵，因爲還沒聽到江中戰鼓訊號，一時接應不上，沒法與廟内士兵配合作戰，白白放走三名大將。

韓世忠把活抓的兩名大將押來問話，方知那位紅袍玉帶，馬前失足的金將不是別人，正是金兀朮是也，不勝懊惱之至，回到軍營，悶悶不樂，藉酒消愁。至於金兀朮差點兒落入圈套，更是前所未有的一身驚恐。欲知後事，請看下一篇。在此，我們補充一句，金兀朮給自己取了一個漢人的名字叫宗弼，各位在《宋史》、《續資治通鑑》等書中看到宗弼即金兀朮是也。

閱讀心得

【第485篇】梁紅玉擊鼓戰金山。

話說韓世忠在金山龍王廟佈下了天羅地網，準備活抓金兀朮，卻因爲埋伏的士兵搶先動手，被金兀朮逮到空隙，逃之夭夭，韓世忠頗爲氣惱，金兀朮更是憤恨難消。

韓世忠的夫人梁紅玉，雖是青樓出身，頗有巾幗豪氣，在苗劉之變中，曾經幫過大忙，現在她對韓世忠說：『這樣吧，我們在營中大桅上，豎起樓櫓，我親自在上面擊鼓，觀察動態，中間立一面大旗，將軍只看白旗爲號，鼓起則進，鼓停則守，金兵往南，白旗則南，金兵往北，白旗則北，元帥先聽桅頂上鼓聲，再看旗向指標，務必殺他一個片甲不留。』

再說金兀朮在金山險些遭擒，憤恨難平，氣得當夜率軍反攻，駕著戰船，浩浩蕩蕩向焦山駛去；金兵們個個磨刀拈箭，勇氣百倍，準備大幹一場。

忽然，一聲炮響，箭如雨發，又有轟天大炮打來，把金兀朮的兵船，打得七零八落，慌慌忙忙下令轉船，這一切，梁紅玉站在高桅之上，看得清清楚楚，立刻敲起戰鼓，如雷鳴一般，號旗上掛上燈球，兀朮向北，宋軍向北，兀朮向南，宋軍立刻也轉向南，金兵溺死的，殺傷的，不計其數，把金兀朮殺得上天無路，下地無門，只好敗回黃天蕩去了。梁紅玉見金兀

朮溜向黃天蕩，樂得把戰鼓敲得漫天作響，因爲黃天蕩是一條水港，此路不通，金兀朮進退兩難，有得好受了。

這段經過，在宋史韓世忠傳中有記載，所謂是『梁夫人親執桴鼓，金兵終不得渡。』這一段有聲有色的梁夫人擊鼓戰金山，就成爲中國歷史上老弱婦孺人人熟悉的事了。

在平劇之中，有一齣著名的、好看的戲稱爲『娘子軍』，它的劇情大概是這樣的：韓世忠爲天下都招討領兵大元帥，鎮守海口，金兀朮帶兵來攻擊，韓世忠認爲與金兵水戰，金兵人多勢衆，與夫人梁紅玉商量對策。

梁紅玉說：『老爺但放心，倘有退後不前者，斬首示衆。』

韓世忠回答：『全仗夫人，就請傳令。』

但是，沒多久，韓戰敗退下，梁紅玉親自登高擂鼓，高聲唱道：『聽軍中喊震天高，敢小覷，女羅剎，懷藏奇略，女將們，聽俺吩咐，勇千軍力撼江湖，乘威風，秉赤膽，保定了大宋國號。』

於是，梁紅玉的一批娘子軍出挽槍、挽繡甲、按鸞刀、抖鳳翅齊聲唱道：

『氣昂昂眞貫雲霄，鬧嚷嚷萬馬如潮，恨金酋無端起釁，女雄兵甚勇驍……一任你馬壯英豪，遇虎穴黃龍直搗。』把金兀朮殺得棄舟登岸而逃。到此，戲緩緩落幕而下。

戲歸戲，畢竟與史實大有出入，韓世忠一代名將，武功絕對不會落於梁紅玉之後，梁紅玉有擊鼓助陣之功，手下卻沒有一批女羅剎的娘子軍，宋朝的女人深受禮教約束，哪來這許多的花木蘭，一般人看了戲就信以爲眞，與史實差了太遠。我們言歸正傳，再回到本題：金兀朮吃了敗仗，心中十分懊喪，金人是慣常在陸地騎馬奔馳的，在江上作戰，到底不及南方人，站在船上，重心不穩，搖搖晃晃，一個個暈船想吐，單單站在船頭，一個巨浪打來，不愼失足，翻落江心的就有不少。

既然硬戰拚不過，金兀朮改用軟的，他心忖重賞之下必有勇夫，有意慷慨獻出『搜山檢海』擄掠江南的所有金銀財寶，但求韓世忠放過一馬，讓他通過，韓世忠當然不會答應。

金兀朮不死心，他心想，金山銀山動不了韓世忠的心，也許名馬可以，自古名將愛名馬，優良的名駒，有時用錢可都買不到。於是，金兀朮找到一名小兵送上書札一封。

小兵進入帳內，韓世忠接過書札，打開一看，裡面寫著：『情願求和，永不侵犯。進貢名馬三百匹，買條路回去。』

韓世忠一看，忍不住失聲笑了起來：『兀朮把本帥看作何等人也。』立刻寫了回書，叫小兵送回金營。

金兀朮再三擺出低姿態，委曲求全，韓世忠橫著心，一概不理，把金兀朮氣得火冒三丈，暴跳如雷，只好重整舟師，再上戰場。

第二次交鋒，金人吃虧可就更大了，韓世忠把戰艦停泊到金山下，他先命令工兵用又粗又重的鐵鏈串上長鉤，交給軍中身體強壯，體格魁梧的大力士，等到金兵的戰船來攻擊時，宋軍分兩道迎之，繞到金軍背後，每鎚一鏈曳一舟，這艘金船便很快地沉入江心，宋軍使鐵鉤玩得過癮極了，金軍卻哀哀嘆息，最後，金兀朮只得指揮殘餘的潰兵，逃回岸上。

金人雖然被困江中，前進不得，但是，韓家軍除了固守焦山，也挪不出多餘的武力，殺到岸上，把金人一舉殲滅，兩軍遂在黃天蕩的江面上相持著，僵在那兒，不進也不退。

金兀朮沒法子可想，只得請求與韓世忠面對面的懇談，希望打開僵局。

閱讀心得

國家圖書館出版品預行編目資料

全新吳姐姐講歷史故事. 21. 南宋/吳涵碧 著.
--初版.--臺北市；皇冠，1995〔民84〕
面；公分（皇冠叢書；第2487種）
ISBN 978-957-33-1231-4 （平裝）
1. 中國歷史

610.9　　84007239

皇冠叢書第2487種
第二十一集【南宋】
全新吳姐姐講歷史故事〔注音本〕

作　者—吳涵碧
繪　圖—劉建志
發 行 人—平雲
出版發行—皇冠文化出版有限公司
台北市敦化北路120巷50號
電話◎02-27168888
郵撥帳號◎15261516號
皇冠出版社(香港)有限公司
香港銅鑼灣道180號百樂商業中心
19字樓1903室
電話◎2529-1778　傳真◎2527-0904
印　務—林佳燕
校　對—皇冠校對組
著作完成日期—1992年01月01日
香港發行日期—1995年09月25日
初版一刷日期—1995年10月01日
初版二十九刷日期—2021年05月
法律顧問—王惠光律師

讀者服務傳真專線◎02-27150507
電腦編號◎350021
ISBN◎978-957-33-1231-4
Printed in Taiwan
本書定價◎新台幣150元/港幣45元